Lo haría, pero MI MENTE no me deja

Lo haría, pero MI MENTE no me deja

UNA GUÍA PARA LAS ADOLESCENTES:
Cómo entender y controlar
tus pensamientos y sentimientos

Libro 2 de 3 de la
Serie Palabras de Sabiduría para las Adolescentes

Jacqui Letran

DUNEDIN, FLORIDA

Reconocimiento a Jacqui Letran por
Lo haría, pero MI MENTE no me deja

"Letran ayuda a los lectores a entender como la mente algunas veces puede enviar señales confusas (y a veces perjudiciales) como vía para auto-protegerse del dolor. La autora descompone las causas fundamentales de muchos obstáculos mentales, los cuales frecuentemente parecen insuperables, a la vez brindando soluciones para una estabilidad y felicidad a largo plazo. Temas tales como el miedo y la baja autoestima se dirigen de una manera profunda en su simplicidad. Este libro atraerá a lectores de todas las edades y géneros. *Lo haría, pero MI MENTE no me deja* está altamente recomendado para el hogar, la escuela y librerías públicas; y para su uso en el aspecto clínico".

Ganador del Lumen Award de los Clásicos Literarios

"La guía de autoaprendizaje de Jacqui Letran para jóvenes adultos es una guía interesante y altamente accesible para todo aquel que desee entender por qué reacciona al estrés y a su causante de la manera en que lo hace. Me impresionó la manera en la que la autora presenta el complejo y complicado proceso que ocurre dentro de la mente humana; especialmente aprecié la manera en que ha adaptado sus descubrimientos y técnicas para que funcionen con las chicas. Sus estudios de los casos fueron fascinantes y demostraron claramente como la depresión y otras enfermedades mentales se pueden resolver, en algunas ocasiones, sin el uso de medicamentos y métodos terapéuticos tradicionales. Este es un trabajo bien redactado e informativo sin ser condescendiente ni paternalista con su público, además de ser altamente recomendado".

Ganador al Premio Medalla de Oro Favorito entre los lectores

"Acabo de leer, *Lo haría, pero MI MENTE no me deja* de Jacqui Letran y este libro debería estar en la estantería de toda chica (solo después que sus padres lo hayan leído primero!) Jacqui utiliza un lenguaje amigable, analogías y representaciones de la vida real para relacionarse y hablar directamente de los problemas de una chica adolescente. Enseña de una manera fácil de entender cómo la mente de su hija crea pensamientos, sentimientos y creencias que ya no serían de utilidad a medida que va creciendo. Su hija aprenderá instrucciones básicas para identificar creencias limitantes, de manera que pueda abrirse paso hacia la confianza, autocompasión y a amarse tal y como es!"

Kim Restivo, MA, Psicoterapeuta Pediátrica

Todos los adolescentes deberían leer este libro ya que es de provecho al guiarlos para eliminar la carga del pasado que llevan por dentro. El estilo de escritura de Jacqui Letran es sencillo y fácil de entender. Recomiendo este libro a todos los adolescentes que padecen de baja autoestima, ansiedad, estrés y que quieren mejorar por sí mismos. El libro no es solamente para adolescentes, sino también es útil para los adultos".

Mamta Madhavan, crítico para Favorito entre los Lectores

Contenidos

Dedicatoria

Este libro está dedicado a todos aquellos jóvenes que se enfrentan con inseguridades, baja autoestima o acciones y pensamientos de auto-sabotaje. Aunque aún no lo creas, por favor, te doy la certeza de que todo lo que necesitas para superar tus problemas está dentro de ti. Creo en ti y sé que eres capaz de hacer cambios positivos en tu vida al entender y controlar tu mente. Lee este libro con una mente abierta y la voluntad de intentar algo diferente y prepárate para ser sorprendido por los resultados que obtendrás.

CAPÍTULO 1

¿Por qué no puedes simplemente controlarte?

¿Cuántas veces gente bien intencionada como tus padres, adultos o incluso amigos te han dicho que debes dejar de pensar o sentirte de cierta manera? Te dicen que los problemas que tienes están todos en tu cabeza. Te dicen que pares de hacer de las cosas un gran embrollo, que eres muy sensible y que no hay razón para estar nerviosa o ansiosa; y aun así lo estás. No sabes qué pensar, o cómo sentirte. Te sientes tensa y nerviosa. A otros parece que se les hace tan fácil y para ti, sin embargo, ¡la vida es tan difícil e injusta!

Tu situación podría parecer tan desesperanzada y probablemente hayas incluso concluido que simplemente "naciste de esa manera", y que no hay nada que puedas hacer para cambiar.

Pero, ¿Qué pasaría si estás equivocada acerca de esa conclusión? ¿Qué pasaría si hubiera una manera para ti en la que puedas crear los cambios que desesperadamente anhelas? ¿Qué pasaría si yo te enseñar a controlar tu mente y estar a cargo de tus pensamientos y emociones? ¿Te gustaría aprender cómo hacer eso por ti misma?

Pues mira, el poder de la mente humana es increíble. Es capaz de crear experiencias trágicas y también es capaz de crear las felices y exitosas. Podría no sentirse de esa manera en este momento, pero sí puedes escoger qué experiencias de vida tendrás. Una vez aprendas maneras fáciles, pero muy efectivas, de hacerte cargo de tu mente, verás que tienes el poder de crear la vida que quieres y deseas. El poder de crear cambios positivos permanentes está a tu disposición sin importar por lo que estés pasando en este momento. Así que para de gastar tu tiempo y energía en aquellas viejas e inservibles emociones y pensamientos. Hoy es el día para cambiar tus experiencias de vida.

Este libro te enseñará a:

- Desafiar tus antiguos patrones de creencias negativas.
- Detener pensamientos y sentimientos dañinos.
- Crear experiencias de vida positivas por ti misma.
- Mantenerte calmada y en control ante cualquier situación.
- Desencadenar el poder de tu mente para crear la vida que deseas y te mereces.

El viaje hacia la felicidad de cada quien inicia con la convicción de que la felicidad es posible. Aun si tus experiencias personales te han llevado a pensar que estás destinada a tener una vida difícil, llena de estrés, ansiedad e infelicidad—te mostraré que tienes otras opciones. Puedes aprender a creer que la felicidad es posible para ti. En este libro, te mostraré cómo tomar el control de tu mente para superar tus obstáculos y problemas. Te enseñaré principios simples pero poderosos para fortalecer tus propias creencias, las cuales te lleven a una base sólida de felicidad y éxito, de manera que la próxima vez que alguien te pregunte,

"¿Por qué no puedes simplemente controlarte?" puedas sonreír y agradecerle por el gentil recordatorio e instantáneamente retomar el control de tus pensamientos y emociones. Tú eres la clave para tu propio éxito y felicidad.

Ahora cierra tus ojos e imagina por un momento cuan maravillosa sería tu vida una vez hayas entendido completamente cómo controlar tus pensamientos, sentimientos y acciones. Si estás lista para hacer de ese sueño de vida tu realidad, te exhorto a que leas este libro con una mente abierta y la voluntad de intentar algo nuevo. Prepárate para ser sorprendida de lo rápido que puedes hacerte cargo de tu vida ahora.

60 segundos de lectura

1. Tienes la oportunidad de escoger las experiencias de vida que tendrás.
2. Tienes el poder de crear la vida que quieras y merezcas.
3. El poder de crear cambios positivos permanentes está a tu disponibilidad, sin importar por lo que estés pasando actualmente.
4. Puedes aprender a:
    a. Desafiar tus antiguos patrones de creencias negativas
    b. Detener pensamientos y sentimientos dañinos
    c. Crear experiencias de vida positivas por ti misma
    d. Mantenerte calmada y en control ante cualquier situación
    e. Desencadenar el poder de tu mente para crear la vida que deseas y te mereces
5. Puedes aprender a ser feliz.

Autorreflexión

Toma cinco minutos para pensar sobre cómo sería tu vida una vez puedas detener esos pensamientos negativos y, en cambio, centrarte en el lado positivo de cada situación. ¿Cómo se vería? ¿Qué harías? ¿De qué manera cambiaría tu vida?

Sigue adelante y haz uso de tu imaginación y diviértete con esta autorreflexión. Escribe todas las cosas maravillosas que finalmente serás capaz de hacer. ¡Recuerda soñar en grande!

_____

_____

_____

_____

_____

_____

_____

_____

_____

_____

_____

_____

_____

_____

CAPÍTULO 2

Tu mente consciente contra tu mente subconsciente

Para tomar control de tu mente, es importante entender las diferencias entre la mente consciente y la subconsciente, y los roles que juegan cada parte de tu mente en tu vida.

Tu mente consciente

La parte consciente de tu mente es la parte lógica. Es capaz de ver el pasado, el presente y el futuro. Resuelve problemas y almacena tus metas y sueños. Tiene libre albedrío para rechazar o aceptar conceptos e ideas.

Hay tres cosas importantes que debes saber y recordar sobre tu mente consciente:

1. Es responsable de la lógica, de la razón y de la toma de decisiones
2. Controla todas tus acciones intencionales
3. Actúa como un sistema de filtro, rechazando o aceptando información

¿Qué significa esto realmente?

La parte consciente de tu mente es la parte de la cual estás al tanto. Es la parte de tu mente que usas cuando estás aprendiendo un nuevo concepto; por ejemplo, te ayuda a aprender a manejar una bicicleta. Cuando estás en la fase de aprendizaje, estás conscientemente enfocada en cómo mantener el equilibrio, cómo pedalear, cómo seguir hacia adelante sin estrellarte con algo o perder el equilibrio y caerte. Todos esos pensamientos y acciones son trabajo de tu mente consciente—algo de lo que estás totalmente enterada.

Tu mente consciente es responsable también de recolectar información, procesar datos y hacer decisiones basadas en la información que tengas a la mano. Es la parte de tu mente que toma decisiones simples como: "quiero usar ese suéter negro porque se ve bien con mis jeans". También toma decisiones más complicadas como qué universidad escogerás para aplicar basado en la trayectoria profesional que deseas.

Aunque tu mente consciente es tan sorprendente en su habilidad de recolectar, procesar y darle sentido a los datos; tiene sus limitaciones. ¿Sabías que la parte consciente de tu mente únicamente puede procesar menos del uno por ciento de toda la información que tienes disponible en cualquier momento dado?[1]

En cualquier momento dado, sólo puedes concentrarte conscientemente en menos del uno por ciento de todas las cosas que pasan dentro de ti y a tu alrededor.

---

[1] Mihaly Csikszentmihalyi, Flow: The Psychology of Optimal Experience (New York: Harper & Row, 1990), 81.

Aunque pudieras procesar diez veces esta cantidad, aún estarías perdiendo el noventa por ciento de los hechos y datos que hay disponibles. Ese es un panorama bastante incompleto si me lo preguntas.

Ahora que sabes esto seguramente deberás hacerte algunas preguntas sobre tus experiencias de vida hasta ahora. ¿De qué me he perdido? ¿Qué información incluso no detecté? ¿Cuán diferente sería mi vida si tuviera acceso a información diferente?

Después te explicaré más detalladamente sobre este concepto y te enseñaré a utilizar este conocimiento para tomar el control de tus pensamientos y acciones para tomar el control de tu vida. Antes de profundizar en ello, hablemos sobre la mente subconsciente y sus funciones.

Tu mente subconsciente

Tu subconsciente reacciona basado en instintos, hábitos y el aprendizaje de experiencias pasadas que están programadas en lo que yo llamo: "el Plan Maestro". El Plan Maestro es un conjunto detallado de instrucciones (como el guion de una película) que le dice a tu mente subconsciente qué hacer. Tu subconsciente no tiene libre albedrío. Cualquier idea, pensamiento o sentimiento que va a la parte subconsciente se queda allí.

Hay cinco cosas importantes que debes saber y recordar sobre tu mente subconsciente:

    a. Es responsable de todas las acciones involuntarias (respirar, los latidos del corazón, etc.)

    b. Es completamente automático y sigue secuencias de comando (no tiene ideas y pensamientos propios)

c. Almacena TODOS tus recuerdos, experiencias, información aprendida y creencias.

d. Su función principal es mantenerte con vida y "a salvo"

e. Tu mente subconsciente procesa información a través de ilustraciones e imágenes (o a lo que llamamos una "Representación Interna", o "RI" para abreviarlo)

La mente subconsciente es aquella parte de tu mente que NO está en tu consciencia. Es la parte de tu mente que trabaja en silencio detrás de escena, resguardada en una esquina oscura, de manera que nadie la notará o a sus actividades.

A diferencia de la parte consciente de tu mente que puede procesar solamente hasta el uno por ciento de los datos disponibles, tu mente subconsciente es capaz de procesar el cien por ciento de cada bit de información que encuentre, ¡A cada segundo! Es correcto… tu mente subconsciente está cien por ciento al tanto de todo lo que pasa contigo y alrededor de ti, cada segundo de cada día.

El plan maestro

Cuando naciste, naciste con un Plan Maestro "pre-programado", el cual es un conjunto detallado de instrucciones y algoritmos que le dicen a tu mente subconsciente qué hacer. En tu infancia y primeros años de vida, ese Plan Maestro solamente incluye instrucciones rudimentarias, pero de gran importancia, que le dicen a tu mente subconsciente qué hacer para mantenerte viva—así como el respirar y regular los latidos del corazón. Este Plan Maestro tiene también información heredada de tus padres y antepasados en forma genética, como el color de tu cabello y ojos. Sin embargo, no naciste con el Plan Maestro para tu sistema de creencias personal, valores fundamentales o las cosas que aprenderás en el futuro. La mayor parte de la información que necesitarás para crear la mayoría de este Plan Maestro te será dada durante los primeros siete años de tu vida por aquellos que se relacionan contigo de manera regular, así como a través de tus propias experiencias de vida. Tu Plan Maestro siempre está cambiando, es un trabajo constante en progreso. Parte del plan siempre se está adaptando y evolucionando basado en tu situación actual y tus propias aspiraciones.

Tu mente consciente es la encargada de añadir al Plan Maestro basándose en tus experiencias de vida. En un próximo capítulo, discutiremos en detalle de qué manera tu mente consciente programa el Plan Maestro. Por ahora, solo sepamos que hay un Plan Maestro desde el cual opera tu mente subconsciente.

Tu mente subconsciente simplificada

Para simplificar el concepto y facilitarte el acceso al poder de tu mente, quiero que pienses en tu mente subconsciente como si fuera nada más que un cuarto lleno de películas—una biblioteca de películas sobre ti misma. En tu biblioteca de películas hay cientos de miles (o incluso millones) de películas protagonizadas por ti y tus experiencias de vida; habiendo dentro de ella un dispositivo de grabación y un operador de película. La función del Operador de Película es seguir el Plan Maestro, el cual es un conjunto pre-programado de instrucciones detalladas y algoritmos provistos por tu mente consciente. De esta manera, tu mente consciente viene siendo el escritor y director, y tu mente subconsciente sería la actriz que lleva a cabo las direcciones dentro de los guiones.

El dispositivo de grabación dentro de tu mente subconsciente siempre está "encendido", grabando activamente todo lo que te sucede a cada segundo de cada día. Cada una de tus experiencias SIEMPRE—ya sea un pensamiento, un sentimiento o acción—se grabará como una película. Esa película entonces es etiquetada, clasificada y almacenada en la biblioteca de tu mente subconsciente por tu Operador de Película siguiendo a tu Plan Maestro. Ese Plan Maestro también le dice a tu Operador de Película cuando guardar o quitar una película de tu "lista de reproducción favorita" y cuándo volver a reproducir una película para ti.

Además de registrar, clasificar, almacenar y reproducir tus películas, tu Operador de Película tiene una función más importante que es protegerte y mantenerte a salvo de cualquier peligro real o percibido. Al igual que la primera función, tu mente consciente ha creado un Plan Maestro para llevar a cabo en cada situación potencial. Ahora ese es un trabajo realmente grande, y las únicas herramientas que tiene tu mente consciente para hacer este trabajo son las películas que ha estado grabando de ti y las instrucciones dentro del Plan Maestro.

¿Quién manda?

Dada la información hasta aquí presentada, ¿quién crees que es el jefe? ¿Tu mente consciente o tu mente subconsciente? Si escogiste tu mente consciente, ¡acertaste! Tu mente consciente es siempre la que manda ya que es la parte de tu mente capaz de procesar y analizar datos. Es la parte de tu mente que tiene libre albedrío para tomar decisiones y es capaz de aceptar o rechazar información; siendo también la parte que filtra información con el fin de responder al Plan Maestro.

Tu realidad existe solamente en tu mente

¿Recuerdas cuando dije que tu mente consciente solamente es capaz de procesar menos del uno por ciento, y que tu mente subconsciente es capaz de procesar al cien por ciento la información con la que te encuentres? ¿Qué significa eso realmente?

Para poner las cosas en perspectiva, tu mente subconsciente recibe millones de bits de datos cada segundo. ¡Millones de bits de datos cada segundo! Detente y piensa en ello por un momento. Cada segundo de tu vida, tu mente subconsciente es bombardeada con millones de bits de datos, lo cual equivale a todas la palabras en siete volúmenes de libros de tamaño regular. Eso es mucha información para procesar por segundo.

Ahora imagina lo que sería para ti si llegaras a ser consciente de los millones de bits de datos que hay en cada segundo de tu vida. ¿Cómo te sentirías si te obligaran a procesar siete volúmenes de libros en un segundo? Tu mente consciente simplemente no es capaz de procesar esa cantidad de datos, por lo tanto tendrías una sobrecarga sensorial severa y lo más probable es que tu sistema explotaría o se apagaría. Afortunadamente para ti, todo esto ocurre en el fondo de tu mente subconsciente y no eres consciente de ello.

La parte consciente de tu mente solamente tiene la capacidad de procesar 126 bits de datos por segundo de esos millones de datos. Para hacer una comparación, volvamos al ejemplo anterior sobre los millones de bits de datos que son equivalentes a todas las palabras en siete volúmenes de libros; de estos siete volúmenes que tu mente subconsciente está procesando, tu mente consciente es capaz de procesar una palabra. ¡Una sola palabra! Esa simple palabra, cualquiera que pudiera ser, es la única que se queda en tu consciencia y es la que se convierte en tu realidad.

Quiero que te detengas y pienses lo que significa eso en realidad. Imagínate leer siete libros y que solamente entiendas una palabra, creyendo de esta manera que esa única palabra en realidad es el único tema de esos libros. ¿Hay algo que podrías estar omitiendo? El aporte importante aquí es darse cuenta de que cada uno de nosotros probablemente se está enfocando en una palabra diferente, la cual se convierte en nuestras respectivas realidades.

Tu realidad no existe en ninguna otra parte que no sea tu mente. Podrías tener una experiencia similar a la de otra persona, pero cuando la analices en pequeños detalles te darás cuenta que hay variaciones significantes.

Continuemos y probemos este ejercicio por diversión. Cierra tus ojos, cambia a otra página de este libro al azar y señala una palabra. Ahora abre tus ojos y mira esa palabra. ¿Representa esa palabra todo lo que este libro trata? Puedo asegurarte que la respuesta es no. Este libro es mucho más que solo esa palabra que has seleccionado aleatoriamente, pero eso demuestra bien cómo tu realidad consciente podría ser tergiversada por el potente sistema de filtrado de tu mente.

El centro de importancia

Así que tal vez te preguntes de qué manera tu mente selecciona esa simple palabra de los siete volúmenes de libros para hacerla llegar a tu mente consciente. En el interior de tu mente tienes una parte que se llama Sistema de Activación Reticular; este sistema es responsable de muchas funciones; pero para el propósito de este libro me centraré en su rol al crear tu realidad. Me gusta referirme al Sistema de Activación Reticular como el "Centro de Importancia" o "CI" para abreviar.

¿Recuerdas cuando mencioné el Plan Maestro anteriormente? Pues bien, el Plan Maestro se mantiene aquí en el CI y le dice a tu mente subconsciente qué tipo de información enviar a tu mente consciente.

Toda tu información importante se almacena aquí —tu sistema de creencias, tus valores, tus experiencias emocionales significativas y tus situaciones de aprendizaje de importancia.

Tu Centro de Importancia es tan único como tu huella digital. No hay dos personas que tengan exactamente el mismo Centro de Importancia. Es por ello que puedes estar en el mismo evento que alguien más y tener una experiencia totalmente diferente.

De los millones de bits de datos que recibes, tu mente subconsciente los filtra a través del Centro de Importancia. La información se entrega a tu consciencia si coincide con el contenido dentro de tu CI. Si no coincide con el contenido de tu CI, tu mente subconsciente lo eliminará, generalizará o lo distorsionará para que "encaje" con tu Plan Maestro.

Para demostrarte esto en detalle, supongamos que tu mamá se compró un auto de paquete—un Honda Accord blanco. Poco después, empiezas a ver el mismo vehículo en el mismo color que el de tu mamá a donde sea que vayas. ¿Decidieron tantas personas de repente comprar el mismo auto que tu mamá? No. Probablemente esos autos han estado circulando todo el tiempo; pero no era un detalle importante para ti hasta que tu mamá compró el carro. Una vez que tu mamá hizo esa compra, los detalles del auto se almacenaron en tu CI y tu mente subconsciente recibe instrucciones para que los ponga en tu consciencia.

En este momento podrías estar súper consciente de cada Honda Accord blanco por un tiempo, pero una vez sea noticia vieja, dejarás de verlo tanto. ¿Significa esto que ese montón de gente vendió sus autos y que están fuera de circulación? No. Todo lo que significa es que, en este punto de tu vida, el Honda Accord ya no es de importancia para ti, es por ello que esta información no se entrega a tu mente consciente cada vez que veas el auto.

Ahora es importante mencionar que el CI tiene parámetros, o instrucciones, de corto y largo plazo los cuales está siguiendo. Los parámetros a corto plazo son cosas que podría ser importantes para ti en este momento, por un breve periodo—como qué está de moda o la novedad de una canción. Puede que dure unos días, unas semanas o incluso meses, pero los parámetros de corto plazo tienen una fecha límite.

Los parámetros de largo plazo permanecen contigo por largos periodos de tiempo. Muchas veces se quedan contigo permanentemente a menos que deliberadamente decidas eliminar esos parámetros. Estos parámetros pueden ser tan simples como actividades aprendidas así como andar en bicicleta, o más complejas como tu sistema de creencias personal.

El asistente personal que no sabías que tenías

¿No te gustaría tener un asistente personal que esté 24/7 ahí para ti? ¿Cuán asombroso sería tener no sólo un simple asistente, sino también uno que espere ansiosamente tus órdenes y que obedezca dichas órdenes sin cuestionarte? Eso suena increíble, ¿no?

Ahora, ¿qué tal si te dijera que en realidad ya tienes ese asistente personal pero que le has estado dando malas órdenes? Ordenes que te están dando los resultados que estás experimentando ahora mismo; dichos resultados que ya no quieres. ¿Te gustaría aprender más sobre tu asistente personal y, más importante, aprender a ordenarle que te dé los resultados que deseas?

Es posible que ya hayas adivinado que tu mente subconsciente es tu asistente personal. La función de tu mente subconsciente es darte cualquier experiencia que busques en la manera más fácil y rápida posible.

Lo que posiblemente no sepas, es que cada pensamiento o sentimiento que tengas es un comando para que tu mente subconsciente te dé más de los mismos.

Así es, cada pensamiento o sentimiento que tengas es una orden para tu mente subconsciente, "Esto es lo que quiero. ¡Dame más de ello!"

Así que si dijeras: "Estoy muy estresada", tu mente subconsciente lo escuchará como un comando: "Quiero estar estresada. Busca evidencias que sustenten por qué debería estresarme. Dame más razones para sentirme estresada". Una vez le hayas dado ese comando a tu mente, tu mente subconsciente inmediatamente se pondrá a trabajar buscando detalles estresantes a tu alrededor. Dichos detalles podrían ponerte tenso al ser empujados en tu CI, haciendo de esta manera que tu conciencia sepa sobre todos esos detalles y se estrese aún más. Además de eso, tu mente subconsciente también buscará en tu biblioteca de películas algunas que sean estresantes para reproducirlas en tu segundo plano. Tú eres la jefa, así que cuando pidas estrés, tu mente subconsciente estará feliz de brindártelo.

¿Te empieza a sonar familiar? ¿Cuántas veces te has sentido estresada por algo y entonces comienzas a tener pensamientos estresantes sobre algo y muy pronto te sientes abrumada por el estrés y otros sentimientos negativos? Esto se debe a que cualquier cosa en la que te concentres se incrementa.

Al enfocarte en cualquier cosa, le estás diciendo a tu mente subconsciente que te dé más información sobre eso. Es como alimentar a un monstruo con comida y verlo crecer sin control justo delante de tus propios ojos.

La buena noticia es que el proceso funciona de ambas direcciones; es decir, que cuando te enfocas en algo positivo, lo positivo también se incrementará. Así que si estás estresada, puedes escoger centrarte en estar calmada. Recuerda que tienes un asistente que obedecerá cada orden tuya, así que úsalo para tu beneficio. En momentos estresantes puedes decirte a ti misma: "Aunque me sienta estresada, elijo estar calmada". Di: "elijo estar calmada" muchas veces para captar la atención de tu asistente, porque este puede ser un nuevo comando. Después de decirlo tres veces, comienza a repetir una y otra vez: "Estoy calmada. Estoy calmada. Estoy calmada". Al repetir "Estoy calmada", imagínate haciendo algo que te tranquilice, ya sea leyendo un libro, estar acostada en la playa o tomando un baño relajante. Cuando sigues estos pasos, lo que haces es decirle a tu asistente: "Aunque estoy estresada, elijo estar en calma. La calma se parece a esto. Ve y busca eso para mí. Dame más de ello". Esto le hace mucho más fácil a tu mente subconsciente el brindarte tranquilidad.

Sin importar qué emoción negativa sientas, te recomiendo que le des a tu asistente el comando de darte tranquilidad; ya que es un maravilloso lugar para estar. Estar en calma es como reiniciarse; desconecta las antiguas imágenes negativas de manera que tienes una pantalla en blanco. Desde un lugar tranquilo es más fácil observar la situación actual por lo que es en realidad y tomar las decisiones que mejor se adapten a tus necesidades.

Ya sea que elijas enfocarte en los aspectos negativos o positivos de cualquier evento, tienes que gastar energía en esos pensamientos. ¿Por qué entonces no centras tu energía en poderosos pensamientos positivos que crearán los resultados que estás buscando?

¿Qué tiene google que ver con tu mente?

Tenemos ahora otro detalle que posiblemente no sabías. Es realmente importante dar órdenes de manera efectiva a tu mente subconsciente. Tu mente subconsciente es también como un motor de búsqueda de Google. Independientemente de lo que escribas en la barra de búsqueda y presiones *Enter*, obtendrás resultados que coinciden con esa solicitud de búsqueda.

Al igual que el motor de búsqueda de Google, tu mente subconsciente no puede procesar comandos negativos. Cuando le des un comando negativo a tu mente subconsciente, simplemente ignorará la parte negativa de eso y se enfocará en la parte restante del comando.

Esto es debido a la Representación Interna (o RI) que mencioné al principio cuando hablamos de la mente subconsciente.

¿Recuerdas cuando dije que tu mente subconsciente procesa información creando imágenes y películas? Cuando digo: "Piensa en derramar leche", ¿qué imagen te viene a la mente? Esa es la manera en la que tu mente subconsciente entiende esas palabras. Ahora, si yo dijera: "No derrames la leche", ¿qué imagen te viene a la mente? Probablemente no puedas formar una imagen de "No derrames la leche". Lo que podría aparecer a cambio sería una imagen de ti sosteniendo cuidadosamente una taza, un vaso o algo parecido. Eso no es lo mismo que "No derrames la leche". Esto se debe a que tu mente subconsciente, al igual que el motor de búsqueda de Google, no puede procesar negativos. No puede hacer una RI de un "no hagas" o un "no".

Con Google, si escribes en la barra de búsqueda "No me encuentres zapatos azules" y presionas Enter, Google te dará toneladas de cosas relacionadas a zapatos azules, ignorando completamente la parte del "no".

Ve e inténtalo por ti misma. Has una búsqueda en Google usando "no" y mira qué resultados obtendrás. Mejor aún, hagamos un simple experimento ahora. ¿Lista? Aquí vamos. Mi comando para ti es: "No pienses en un elefante naranja". ¿Qué pasó? La primera cosa en la que pensaste fue en un elefante naranja, ¿no es así? Cuando te diste cuenta que estabas pensando en un elefante naranja, puede que trataras de forzarte a pensar en el elefante en un color diferente o pensar en algo más, completamente diferente. Es bastante interesante, ¿no?

Puede que estés teniendo ciertos momentos "ajá" justo ahora. Piensa en la última semana o dos, y considera qué comandos le has estado dando a tu mente subconsciente que te están haciendo tener algunos de tus sentimientos o experiencias negativas.

Ahora que eres consciente de cómo interpreta las instrucciones tu mente subconsciente, procura estar muy consciente de los pensamientos y sentimientos que tienes. Si los pensamientos o sentimientos son negativos, puedes elegir de manera diferente; es aquí donde la instrucción "Yo elijo estar calmada" se vuelve útil. Ese pensamiento le permite saber a tu asistente que has escogido estar calmada en vez de enojada o estresada, o cualquier cosa que puedas haber estado sintiendo.

RECUERDA*, eres quien manda y tu mente subconsciente es tu asistente. Así que si te atrapas a ti misma dándole un pensamiento negativo o una mala orden a tu mente subconsciente, haz algo al respecto. Tu asistente llevará a cabo cualquier comando que le proporciones, a menos que conscientemente lo revises.*

Digamos que tu mamá está haciendo la cena. Ella preguntó si prefieres pollo o pescado. Dijiste pescado, pero inmediatamente cambiaste de opinión a pollo. Cuando te diste cuenta de esto, lo más probable es que te corrigieras y le dijeras a tu mamá que querías pollo. Dudo que solamente te quedaras ahí sentada y esperaras que ella leyera tu mente y prepare pollo a cambio.

Puedes hacer lo mismo con tu mente subconsciente. Digamos que pensaste: "estoy demasiado enojada para concentrarme ahora", y te sorprendes a ti misma diciendo eso. En lugar de simplemente dejarlo pasar, puedes decir: "Ups, quiero decir, estoy dispuesta a concentrarme". O puedes decir: "Borra o elimina eso", o frases parecidas para decirle a tu mente subconsciente qué quieres hacer con la información incorrecta. Podrías decir también: "Tengo el control de en qué me concentro". Desde luego, el "Yo elijo estar calmada" funciona perfectamente aquí también. Los comandos como estos son bastante poderosos porque le dicen a tu mente subconsciente lo que quieres exactamente.

60 Segundos de lectura

1. Tu mente consciente es la parte lógica que aprende, piensa y toma decisiones.
   a. Utilizas esta parte de tu mente para enfocarte en detalles y ser consciente de cosas.
   b. Solamente puedes enfocarte en el uno por ciento de lo que sucede dentro de ti y a tú alrededor en cualquier momento dado.

2. Tu mente subconsciente es como un programa que se ejecuta automáticamente en el fondo de tu mente.
   a. No tienes consciencia de, ni puedes enfocarte en el programa automático de tu mente subconsciente.
   b. Tu mente subconsciente es capaz de procesar el 100 por ciento de lo que sucede en tu interior e inmediatamente a tu alrededor.

3. Tu "Centro de Importancia" o "CI" son los programas automáticos de tu mente subconsciente.
   a. Es aquí donde tus creencias y otra información de importancia se almacena.
   b. Tu mente subconsciente está programada para buscar evidencias que sustenten lo que está en tu CI.
   c. El CI también es único. Nadie más tiene exactamente el mismo CI que tú; lo que también significa que nadie más siente las cosas de la misma manera que tú lo haces.

4. Tu mente subconsciente es tu Asistente Personal, y tú eres la jefa.

a. Está programada para darte la experiencia que pidas en la manera más fácil y rápida posible.

b. Problema: Cada pensamiento que tienes, cada sentimiento que sientas, es un comando para tu mente subconsciente, "Esto es lo que quiero, ¡dame más de eso!"

5. Tu mente es como un motor de búsqueda de Google. No puede procesar comandos negativos.

a. Cuando des una orden negativa, como "No te enojes", tu mente subconsciente ignorará el "no" y llevará a cabo el resto de la orden.

b. Solución: Da a tu mente órdenes claras y positivas de lo que verdaderamente quieres. En lugar de decir, "No quiero estar enojada", puedes decir, "Elijo estar calmada".

Notas

_____

_____

_____

_____

_____

_____

_____

_____

_____

_____

_____

_____

_____

_____

_____

_____

_____

_____

_____

_____

_____

_____

_____

_____

_____

_____

_____

_____

_____

_____

_____

_____

CAPÍTULO 3

El sistema de creencias

Creencia:
1. La aceptación de que una declaración es verdadera o que algo existe.
2. Algo que se acepta como verdadero o real; una opinión o convicción que se sostiene firmemente.

¿Sabías que la mayor parte de tu sistema de creencias se desarrolló desde el momento en que naciste hasta casi los siete años? ¿Sabías también que la mayoría de tu sistema de creencias no lo decidiste tú, sino que en realidad te fue dado por alguien más?

Quiero que te detengas y pienses en eso por un momento. La mayor parte de tu sistema de creencias sobre quién eres y todo lo que te rodea te fue dado desde que naciste hasta la edad de los siete años.

¿Por qué desde tu nacimiento hasta los siente años? Durante esta parte de tu crecimiento y desarrollo, tu mente subconsciente está completamente formada y funcional. Sin embargo, tu mente consciente está empezando a formarse y aún no está totalmente en condiciones de funcionar. Es por esto que los niños pequeños creen en todo lo que ven y escuchan. El Conejo de Pascua, Santa Claus y el Ratón de los Dientes, todas fueron completamente reales para tu yo más joven porque tu mente consciente no estaba lo suficientemente formada para decir: "No, eso no es real".

La invención de creencias

Hay maneras principales para desarrollar una nueva creencia y estas son:

1. Evidencia: Esta es una decisión racional basada en causa y efecto. Por ejemplo, cada vez que rompes el toque de queda, te castigan. Te harás la idea de que romper el toque de queda dará como resultado que seas castigada.

2. Tradición: Esto está basado en tus valores familiares y culturales. Por ejemplo, te criaron en una familia católica; por lo tanto tu sistema de creencias tendrá muchas facetas de las enseñanzas católicas.

3. Autoridad: Esto se basa en lo que las personas que juegan un rol respetado te enseñen o te digan de algo. Un ejemplo sería que tu doctor te diagnostique con depresión, es por ello que creerás que tienes depresión.

4. Asociación: Esto se basa en las personas con las que te relacionas. Por ejemplo, si pertenecieras al Club Mensa (que es una asociación internacional de superdotados) y te relacionaras con una gran cantidad de persona intelectuales, podrías creer que la inteligencia tiene gran valor.

5. Revelación: Esto se basa en tus presentimientos, percepciones e intuiciones. Por ejemplo, algunas veces solo tienes un presentimiento de "No confío en esta persona", aunque posiblemente no sepas por qué.

Pues bien, tu mente subconsciente registra cien por ciento de todo, pero eso no significa que todo lo que te suceda se vuelva parte de tu sistema de creencias. Al principio, cuando aún no tienes un Plan Maestro para las nuevas ideas o un sistema de creencias, tu mente subconsciente solamente registra tus sucesos debido a que aún no tiene una etiqueta para dichos eventos; ni hay manera para ella de ordenarlos y categorizarlos todavía. Todo lo que tu mente subconsciente registre hasta entonces, se almacena en una categoría "general". En tu biblioteca de películas hay, de hecho, muchas categorías de creencias, parecidas a "género" o "tipo" de películas. Los cuatro tipos principales de películas son:

1. Instruccional: Estas son cosas que has aprendido a hacer, como andar en bicicleta o tocar guitarra.
2. Factual: Estas son cosas que has aprendido a aceptar como verdaderas, así como los diferentes colores o tu fecha de nacimiento.
3. Emocional: Estas son las experiencias que has tenido y lo que éstas significan para ti específicamente.
4. General: Aquí es donde todas las películas variadas van.

Veamos cómo se puede hacer una película instructiva. Imagina que eres una bebé de ocho meses intentando aprender a usar una cuchara. Si has visto a un bebé aprender a usar una cuchara, sabes qué tan desastroso es ese proceso. A menudo el bebé se unta comida en la barbilla y sus mejillas, o se la derrama completamente encima. Esto se debe a que todavía no hay un video instruccional en la biblioteca de su mente subconsciente que le diga cómo alimentarse adecuadamente.

La primera vez que intentaste alimentarte por ti misma, tu mente subconsciente grabó el suceso y guardó esa película en la categoría general de tu biblioteca. La segunda vez que intentaste alimentarte por ti misma, tu mente subconsciente nuevamente lo registró y almacenó en la categoría general. La tercera vez que lo intentaste, tu mente consciente puede que haya reconocido el patrón de datos y le dijera a tu mente subconsciente que los ordene y almacene juntos. Una vez sepas cómo usar una cuchara para comer por sí sola, se convertirá en un video para "Alimentarse a sí misma con una cuchara". La próxima vez que comas por ti mismo, tu mente subconsciente te reproducirá esa película en el fondo y podrás fácilmente alimentarte sin pensar en ello.

Ahora, conscientemente, muchas cosas estaban pasando simultáneamente para que tu mente subconsciente ordenara y categorizara esa película. Tal vez tu mamá decía: "Hoy vamos a aprender a usar una cuchara" o algo parecido cada vez que te daba una cuchara. Con reiteración, conscientemente aprendes cuando tu mamá dice: "Hoy vamos a aprender a usar una cuchara" y te da un objeto; ese objeto se llama cuchara y se usa para poner comida en tu boca. Entonces usas esta información para crear tu video instructivo.

Los principales sistemas de creencias se crean de forma muy similar, ya sea a través de un solo evento emocional significativo o a través de repeticiones de varios eventos emocionales de baja intensidad.

Eventos emocionales significativos

Ahora imagina que tienes tres años y estás jugando en un cuarto. Como la mayoría de los niños de tres años, estás haciendo un gran desorden tirando cosas por todos lados y pasando un buen rato. Tu mamá entra al cuarto, ve el desorden y se enoja contigo. Posiblemente te hace dejar de jugar y además que limpies tu cuarto. Puede que te grite o, si estuvieras en una situación de maltrato, te golpee en la cabeza, te patee o algo parecido.

Definitivamente esto es un evento emocional significativo para tu yo de tres años. Simplemente estabas divirtiéndote en tu cuarto cuando tu mamá, repentinamente, se llevó tus juguetes, te pegó en la parte trasera de la cabeza y te gritó: "Eres una niña mala. ¡Limpia tu cuarto ahora!" No tienes una idea completa de lo que sucedió. Todo lo que sabes es que tu diversión se detuvo, tu mamá está enojada y estás afligida. Debido a que este evento fue tan traumático y el dolor fue significativo, tu mente subconsciente inmediatamente acepta esto como un hecho, y uno o más sistemas de creencia se crearon.

Algunas de las posibles creencias que se podrían desarrollar de este incidente son:

1. Divertirte es malo. Cuando me divierto, me castigan.
2. Soy una niña mala. Hice que mi mamá se enojara.
3. Soy inservible. No hay nada que pueda hacer para arreglar esto.
4. No me aman.

Todas estas y otras creencias potenciales se convierten en parte de tu Plan Maestro con instrucciones y estrategias de cómo evitar este tipo de dolor en el futuro.

Al mismo tiempo, tu mente subconsciente registra el evento entero, lo etiqueta y lo archiva bajo todas las creencias aplicables. Entonces debido a que hay instrucciones en el Plan Maestro sobre este evento, esta película se coloca inmediatamente en el CI. Tu mente subconsciente ahora está programada para buscar evidencias de estas creencias y asegurarse de que cualquier cosa que se relacione con estas creencias le sea inmediatamente entregada a tu consciencia.

Eventos emocionales repetitivos de baja intensidad

Imagina nuevamente que eres una niña de tres años, jugando en tu cuarto y haciendo un gran desorden. Tu mamá entró al cuarto, vio el desorden y dijo en una voz suave pero severa: "Mira ese desorden. Eres una niña mala". Posiblemente se lleve tus juguetes o puede que te haga recogerlos. En cualquier caso tu diversión fue interrumpida.

Ahora, las emociones apegadas a este evento son realmente de baja intensidad. Puede que te hayas enojado, pero no fue un evento emocional significativo. Aun así, tu mente subconsciente registró todo y archivó esta película en la categoría general de tu biblioteca.

Bien, si esto pasara una y otra vez, se vuelve una historia distinta. Así que digamos que aconteció exactamente el mismo escenario tres días después. Tu mente subconsciente hace el mismo registro y lo envía junto con el primer registro. Aun así, todavía, eso aún no es tan importante; sin embargo, digamos que pasó nuevamente dos o tres veces más. Tu mente consciente puede decidir creer:

1. Divertirse es malo. Cuando me divierto me castigan.

2. Soy una niña mala. Hago infeliz a mi mamá.
3. Soy inservible. Quiero jugar, pero mi mamá no me dejará.

Al igual que con el ejemplo del evento emocional significativo, si esto pasa repetidas veces, tu mente consciente incluiría estos datos en tu Plan Maestro, diciéndole así a tu mente consciente que busque pruebas que apoyen estos sistemas de creencias. Recuerda, las creencias se crean ya sea cuando tengas un evento emocional significativo o si algo continúa pasando una y otra vez.

Aquí, toma esta creencia y hazla tuya

Anteriormente dije que la mayoría de tus creencias te fueron dadas. ¿Cómo es eso posible y por qué ese es el caso? De nuevo, desde tu nacimiento hasta la edad de siete años, tu mente consciente todavía no está totalmente formada y funcional. Si escuchas algo muchas veces, especialmente si es de aquellos que amas o tienen autoridad sobre ti, creerás que lo que dicen es cierto. Por ejemplo, si hubieras crecido en una familia pobre y escucharas a tus padres pelear constantemente por dinero o los oyeras decir cosas como: "Es muy difícil ganar dinero", o "Esos ricos codiciosos…"; probablemente harías un sistema de creencia de:

1. El dinero hace que las personas peleen.
2. Es difícil ganar dinero.
3. La gente rica es codiciosa.

De manera parecida, si crecieras con una madre enojada que odia a los hombres y constantemente te dijera: "No puedes confiar en los hombre", "Todos son unos cerdos", o "Todos los hombres son controladores", también creerías que estas generalidades sobre los hombres serían verdaderas.

RECUERDA, *las creencias se hacen ya sea cuando tengas un evento emocional significativo o cuando algo continúa pasando una y otra vez.*

Buscando evidencias

Supongamos que el incidente con la niña de tres años que mencioné anteriormente te sucedió y ahora tienes una creencia de "Soy una niña mala". Una vez esta se grabó, es colocada en tu CI, tu mente se dirige a buscar evidencias que apoyen ese sistema de creencia para el resto de tu vida. Llevarás tu sistema de creencias contigo a donde sea que vayas. Es como llevar una canasta por el resto de tu vida para buscar evidencias y ponerlas allí dentro. Si un amigo, tío o tía te dice, "Eres una niña mala", tomarás esta información y la pondrás en tu canasta para validar tu sistema de creencia. Lo mismo pasa con cualquier comentario de alguien más que se relacione con el sistema de creencias.

Muy pronto, estarás llevando una canasta llena de evidencia que corrobora el que seas una mala persona. Se siente pesado, molesto y abrumador el tener que llevar esta carga extra a donde sea que vayas. Te cansas, y no tienes la energía o la motivación para hacer lo que deseas.

Debido a que tienes un sistema de creencias de "Soy una niña mala" en tu CI, tu mente subconsciente solamente desplazará en tu consciencia los datos relacionados a ese sistema de creencias. Si alguien dice: "Eres una persona sorprendente", probablemente no lo escuches en absoluto, o lo escuchas pero no le crees. De hecho, incluso podrías intentar probar que esa persona está equivocada.

Un buen ejemplo de esto es pensar en alguna vez que alguien te haya dicho un simple cumplido que te haya hecho sentir mal. ¿Cómo respondiste? Probablemente no dijiste nada porque no sabías cómo reaccionar ya que no creíste lo que te dijeron. Puede que hayas desviado ese cumplido, o le hayas dado el crédito a alguien más o lo minimizaste completamente porque no te sentías cómoda. Podrías incluso haber interpretado sus palabras como sarcasmo o falsa adulación.

Cambiando creencias

Aun cuando la mayor parte de tus sistemas de creencias se desarrollaron entre tu nacimiento y los siete años, puedes desarrollar nuevos sistemas de creencias después de los siete años.

Ya sea que hayas pasado una vez por un evento emocional significativo o repetidas veces por un evento emocional de baja intensidad; puedes crear nuevos sistemas de creencias. También puedes desarrollar nuevos sistemas de creencias cuando decides que quieres cambiar a propósito.

Algunas creencias son fáciles de cambiar porque están en nuestra consciencia. Cuando una creencia está en tu consciencia, puedes decidir qué hacer con ella. Las creencias que están profundamente enterradas en la mente subconsciente son más difíciles de cambiar; aun así, es definitivamente posible cambiar las creencias de tu mente subconsciente. Eso requiere trabajar con alguien que tenga conocimientos para ayudarte a acceder al contenido dentro de tu mente subconsciente y los envíe a tu mente consciente de una manera segura y cuidadosa.

60 segundos de lectura

1. La mayor parte de tus sistemas de creencias se desarrollaron desde tu nacimiento hasta la edad de siete años.
   a. Tu mente consciente, la parte lógica de tu mente, apenas está iniciando a formarse y no está funcionando completamente hasta el momento que cumples alrededor de siete años.
   b. Es por ello que los niños pequeños creen en todo lo que ven y oyen.
2. Las creencias se crean siempre que:
   a. Haya un evento emocional significativo.
   b. Algo pase una y otra vez.
3. Una vez hayas creado una creencia, esta es enviada a tu CI y tu mente subconsciente se programa para buscar información que la corrobore.
4. Aunque la mayoría de tus sistemas de creencias se desarrollen entre el nacimiento y los siete años, puedes desarrollar nuevos sistemas de creencias después de los siete años.
   a. Aunque pases una vez por un evento emocional significativo o repetidas veces por un evento emocional de baja intensidad, puedes crear nuevos sistemas de creencias.
   b. También puedes crear nuevos sistemas de creencias cuando decides que quieres cambiar a propósito.

Notas

_____

_____

_____

_____

_____

_____

_____

_____

_____

_____

_____

_____

_____

_____

_____

_____

_____

_____

_____

_____

_____

_____

_____

_____

_____

_____

_____

_____

_____

_____

_____

_____

CAPÍTULO 4

El protocolo de lo desconocido/peligroso

¿Cuántas veces te han dicho que todo lo que tienes que hacer para lograr algo es tener fuerza de voluntad? Y ¿cuántas veces has intentado usar tu fuerza de voluntad y aun así no logras tus objetivos?

Posiblemente has estado frustrada o decepcionada contigo. Puede que te hayas enojado contigo misma y puedas incluso sentir que eres un fracaso.

La verdad es que la fuerza de voluntad no funciona si el objetivo que quieres lograr no está alineado con tus sistemas de creencias en tu mente subconsciente.

Es muy común que las personas empiecen una meta con mucho entusiasmo y determinación, y justo después, se den por vencidas. Esto se debe a que los deseos de su consciente no concuerdan con las creencias subconscientes que han programado en su Plan Maestro.

Utilicemos un escenario común para ilustrar esto. Supongamos que quieres perder diez libras. Leíste un artículo en el periódico que te inspiró; este decía que si comes por lo menos mil trecientas calorías por día y te ejercitas tres veces por semana por treinta minutos cada vez; perderás diez libras en dos semanas. Piensas "¡Wow! Todo lo que tengo que hacer es simplemente mantener mi consumo de calorías en menos de mil trecientas calorías por día y hacer ejercicio treinta minutos, tres veces a la semana; ¡perderé diez libras en dos semanas! Parece lo suficientemente sencillo, además de que son sólo dos semanas. ¡Puedo hacer esto!" Fijas tu trayectoria para perder de peso con determinación y quizás algo de emoción.

Poco después de haber iniciado este nuevo programa saludable, algo cambió que inevitablemente te detuvo de avanzar en cumplir tus metas. Ese algo es tu mente subconsciente.

"Los cambios son aterradores; los cambios son peligrosos", grita tu mente subconsciente.

¿Recuerdas que antes dije que el objetivo principal de tu mente subconsciente es mantenerte segura? Pues bien, segura realmente no significa "segura" de acuerdo con tu mente subconsciente. En realidad, tu mente subconsciente está programada para aceptar que "segura" significa "NO CAMBIES. ¡LOS CAMBIOS SON PELIGROSOS! ¡QUÉDATE EXACTAMENTE COMO ESTÁS AHORA!"

Para tu mente subconsciente, los cambios son aterradores. Los cambios son peligrosos. Cada vez que intentes hacer un cambio que perturbe el orden establecido de tu sistema de creencia actual, tu mente subconsciente pierde el control. Asume que estás en peligro y hará lo posible para traerte nuevamente a su percepción de seguridad.

Para aclarar mejor la idea, volvamos al ejemplo de la pérdida de peso. Para efectos de este ejemplo, me gustaría que imaginaras que pesas trecientas libras y que todos en tu familia pesan trecientas libras. También imagina que toda tu vida has estado luchando para perder peso.

Imagina que lees un artículo que te motiva e inspira a tomar acciones para perder peso nuevamente. ¡Estás emocionada! ¡Esto es lo que finalmente te ayudará a perder peso! ¡Esta es la respuesta!

Cuando tomaste la decisión de seguir el nuevo programa, fue una decisión consciente. Tan pronto empiezas a hacer las actividades prescritas, te sientes bien sobre ti misma. Te sientes esperanzada. Eso es porque aun estás en tu área de seguridad de acuerdo a tu mente subconsciente. Tan pronto te alejes de tu área de seguridad y vayas a un nuevo territorio, o "la zona de peligro", tu mente subconsciente se descontrola y cree que corres peligro. Ya que su trabajo es mantenerte a salvo, hará todo lo que pueda para devolverte a su percepción de área de seguridad. Activará entonces el "Protocolo de lo Desconocido/Peligroso."

El propósito del Protocolo de lo Desconocido/Peligroso es hacer que dudes de ti misma, ponerte en un estado de temor o hacerte sentir mal al revivir fracasos anteriores; por lo

> *que DETIENES lo que estás haciendo y vuelves*
> *otra vez a donde se siente seguro.*

Para hacer que dejes de hacer tus nuevas actividades, tu mente subconsciente posiblemente inicie reproduciendo las antiguas películas que te harán dudar de ti misma; películas que te hacen pensar: "¿Realmente puedo hacer esto?" "¿Qué me hizo pensar que esto siquiera funcionaría?" "He intentado muchas cosas y nada ha funcionado" "Es genético, y no hay nada que pueda hacer sobre ello".

O posiblemente reproduzca películas de miedo. "Va a ser difícil hacer ejercicio tres veces a la semana. ¡Me voy a lastimar la rodilla izquierda otra vez!" O tal vez, "Va a ser muy aburrido comer nada más que pescado y vegetales. No podré ni siquiera socializar, ¡todos los que conozco comen hamburguesas y papas fritas!"

Quizás tu mente subconsciente elija reproducir películas de fracasos anteriores. Tal vez en el pasado perdiste cinco libras solamente para ganar diez libras de nuevo. Hará reproducir esas viejas películas haciéndote revivir ese antiguo dolor de fracaso.

No solamente se reproducen esas antiguas películas dolorosas de fondo, sino que tu mente estará activamente escaneando el ambiente en busca de evidencias que demuestren por qué vas a fallar.

Si eres como la mayoría de las personas, cuando tengas dudas, miedos o recuerdes tus fallas anteriores, dejarás de hacer estas nuevas actividades y retomarás las antiguas. Parece muy atemorizante o incluso sin sentido intentarlo. Cada vez que inicias y te detienes de esta manera, fortaleces tu sistema de creencia de "No puedo".

Pronto tu sistema de creencia se vuelve tan insoportable y poderoso que todo lo que tienes que hacer es pensar en tu meta y caerás en un estado de ansiedad.

El origen de la mayoría de los problemas

El Protocolo de lo Desconocido/Peligroso no es la única herramienta que tiene tu mente subconsciente para apartarte del cambio. En el catálogo de la biblioteca de tu mente subconsciente hay cuatro temas principales que he mencionado: Instruccional, Factual, Emocional y General. Dentro de la categoría Emocional hay cuatro subcategorías principales:

1. No Soy lo Suficientemente Buena
2. No Soy Digna
3. No Soy Amada
4. No Estoy a Salvo

Todos tenemos estas subcategorías principales en nuestro CI. Es parte del Plan Maestro que hemos creado en un esfuerzo por mantenernos seguros. Es también el origen de la mayoría de los problemas que, como humanos, encontramos. La cantidad de películas que tienes en cada una de estas subcategorías depende de ti, de tus creencias y tus experiencias. Los detalles de tus películas son diferentes a los de la demás gente porque tus películas se basan específicamente en tus experiencias de vida y sistema de creencias. Sin embargo, sin importar quien seas, estas subcategorías principales están allí en diversos grados, ocultas en una esquina oscura, listas para desencadenarse en cualquier momento.

En los siguientes capítulos, discutiré cada una de estas creencias en detalle. Pero por ahora, imaginemos que uno de nuestros grandes sistemas de creencias o Subcategoría Emocional es: "No Soy lo Suficientemente Buena". Debido a que este es un sistema de creencia significativo, se encuentra en tu CI y tu mente subconsciente está programada para buscar constantemente evidencia que apoye esto. Sin importar donde estés, qué hagas o con quién estés; tu mente subconsciente busca constantemente evidencia para corroborar esto.

Imagina que en el fondo de tu mente una película se está reproduciendo, en un ciclo repetitivo 24/7, de todos los momentos que prueban que no eres lo suficientemente buena. Esta película se reproduce continuamente, haciéndose más y más ruidosa cada vez que hagas un intento de hacer algo que pueda amenazar o contradecir este sistema de creencia.

Imagina que recibes mensajes de "No Eres lo Suficientemente buena" todo el tiempo. Estos pensamientos y sentimientos negativos constantes son los que te mantienen atascada. El miedo y las inseguridades que comúnmente van de la mano con estos mensajes, te impiden tomar decisiones y seguir hacia adelante porque parece demasiado aterrador o completamente sin sentido pelear una batalla perdida.

La mayoría de las veces no estás consciente de las películas que tu mente subconsciente está reproduciendo en tu interior. No obstante, mientras sigas desafiando cualquier sistema de creencia significativo, las película pertinentes se hacen más ruidosas y vívidas, incluso hasta podrías tener un poco de conciencia de ello. Sin embargo, la mayoría de las veces, no estás completamente consciente de la causa exacta de tu sistema de creencia subyacente. Podrías tener un sentimiento de miedo, ansiedad o incomodidad que realmente no puedes explicar por completo.

Dominando tu mente subconsciente

Así que, ¿qué haces cuando quieres cambiar una creencia subyacente? ¿Cómo puedes cambiar tu comportamiento y tu sistema de creencias cuando tu mente subconsciente lucha en tu contra con cada paso que des?

El primer paso es reconocer que tú eres quien manda y que tu mente subconsciente únicamente sigue las instrucciones que has programado en tu Plan Maestro. Puesto que eres la jefa y eres la responsable de programar el Plan Maestro, puedes también elegir cambiar el Plan Maestro.

Para empezar, deberías reconocer tus emociones negativas y decidir hacer un cambio. Lo siguiente por hacer es crear metas pequeñas y simples para ti. En el caso de perder diez libras, tu meta pequeña y simple podría ser perder solo una libra. Después, perder tres libras, luego cinco libras, ocho libras y finalmente diez libras.

Cuando inicies este recorrido por primera vez, te sentirás bien porque estarás haciendo lo que decidiste hacer conscientemente y estarás en tu zona de seguridad. Poco después, entrarás en la zona de peligro, y tu mente subconsciente empezará a salirse de control. Recurrirá a tus antiguas películas negativas para reproducirlas nuevamente.

Sin embargo, esta vez tu meta es muy pequeña y simple. Te esfuerzas en aceptar esta ligera molestia para alcanzar tu primera pequeña y simple meta. Una vez alcances tu primera meta, tu mente subconsciente no puede negar que la meta se ha cumplido. Para mantener tu mente consciente estable, debes hacer lo que sea necesario para mantener esa libra de peso perdida. No intentes perder más peso en este punto. Mantente en este nuevo peso por un rato para permitirle a tu mente subconsciente darse cuenta de que estás a salvo y de que esta es tu nueva normalidad. De este nuevo punto de partida, te esfuerzas nuevamente hasta que alcances la siguiente meta. Como antes, cuando alcances la nueva meta, simplemente permanece un pequeño tiempo así para permitirle a tu mente subconsciente establecer una nueva zona de seguridad.

La cantidad de tiempo que tengas que esperar entre cada meta depende del sistema de creencia que estés desafiando, de hace cuánto ha existido y de las cargas emocionales que conlleva. Sabrás que es el momento para trabajar en la siguiente pequeña meta cuando te sientas a gusto, y sea fácil mantener tu meta actual.

Puede que te estés preguntando: si mi mente consciente es quien manda, ¿por qué simplemente no puedo cambiar voluntariamente el Plan Maestro? ¿Por qué necesito hacer estas pequeñas, simples metas? En realidad tu mente consciente es quien manda y tú eres, de hecho, quien cambia los parámetros en tu Plan Maestro; puedes cambiar fácilmente los detalles en tu Plan Maestro cuando la creencia está dentro de tu consciencia y es de baja intensidad. Sin embargo, cuando pasas por algo con emociones negativas significativas, aprendes que es muy doloroso y que no quieres volver a sentir esa emoción de nuevo. Para asegurarte de que nunca vuelvas a pasar por ello, cuando programas tu Plan Maestro sobre esa experiencia, subconscientemente pones tantas trampas como sea posible en un esfuerzo por proteger el Plan Maestro. Es por esto que tienes que tomar pasos simples y pequeños para dispersar las trampas sin activar la alarma.

Si das estos pequeños pasos en la vida real, tomaría años lograr tus metas dependiendo de lo que son. Sé que no quieres esperar años para lograr tus metas; quieres lograrlas ahora, o por lo menos en una cantidad de tiempo relativa.

Lo bueno es que hay muchas otras maneras más simples y más eficientes de lograr rápidamente estas metas. En primer lugar, puedes acelerar significativamente el proceso al visualizarte vívidamente logrando tus metas y completándolas repetidamente bien. Esto funciona porque tu mente subconsciente está constantemente creando películas para ti.

La buena noticia es que tu mente subconsciente no sabe si este es un evento real que experimentas o algo que estás imaginando vívidamente. Para tu mente subconsciente es lo mismo; ambas experiencias se archivan, clasifican y almacenan de la misma manera.

Puedes usar esta información para tu beneficio. Digamos que tienes la meta de sentirte cómoda y confiada al hacer una presentación de clases. Visualízate vívidamente en frente de la clase, sintiéndote cómoda y sintiéndote confiada de que conoces bien el material. Vívidamente visualízate presentando con una voz fuerte y segura, haciendo buen contacto visual y sintiéndote a gusto. Imagina vívidamente que terminas tu presentación y respondes cualquier pregunta con autoridad y confianza.

A medida que te imagines este escenario, añade tantos detalles como sean posibles. Utiliza tus sentidos; míralo, tócalo, escúchalo, huélelo. Siente las emociones unidas a eso. Entre más detalles brindes, mejor será tu grabación y el cambio ocurrirá más rápido.

¡Estrellas deportivas han estado utilizando esta técnica por siglos con resultados sorprendentes! Una estrella de tenis, por ejemplo, podría vívidamente imaginarse a sí misma haciendo un saque perfecto una y otra vez—quizás unas veinte veces antes de un partido. Cuando ella entre a la cancha para su primer saque, su mente pensará que es el saque número veintiuno. Su mente está calmada y enfocada. Su cuerpo, relajado. Ella lleva a cabo su saque con confianza y poder. Esta simple técnica puede ayudarte a lograr cualquier meta en tu vida, más fácil y rápido.

Mientras que esta técnica es muy útil al ayudarte a cumplir muchas de tus metas, otras metas son más difíciles de lograr solo con este método, especialmente si están muy arraigados en tus sistemas de creencias. Por ejemplo: si tu padre te pegaba regularmente desde que eras una niña hasta el momento en que se fue cuando tenías nueve años, podría parecer casi imposible perdonarlo. Puedes definitivamente usar la técnica de visualización antes mencionada y lograr tus metas, pero tomaría un esfuerzo significante y dedicación debido a todas las trampas que has dejado alrededor de ese sistema de creencias.

En casos de creencias profundamente arraigadas, especialmente traumáticas, lo mejor es involucrar la asistencia de un profesional altamente capacitado que se especialice en técnicas no tradicionales para abordar la mente subconsciente. Con su ayuda, puedes ser guiada a identificar el sistema de creencia preocupante, la fuente de su creación y las emociones negativas vinculadas a dichas creencias. Una vez las emociones negativas son identificadas y liberadas, la creencia se neutraliza. Entonces eres libre de reprogramar esa parte del Plan Maestro.

RECUERDA, *cuando tu mente consciente y la subconsciente estén en conflicto, tu mente subconsciente siempre gana.*

Para tener éxito al crear los cambios que deseas, debes resolver los problemas desde su raíz—esto significa abordar tu mente subconsciente. De no hacerlo así, revivirás el problema una y otra vez. Los mejores terapeutas para cambiar sistemas de creencias profundamente arraigados abordan directamente la mente subconsciente.

En los siguientes capítulos, compartiré contigo las historias reales de algunas de mis clientas que pudieron resolver sus problemas rápidamente cuando descubrieron cómo abordar su mente subconsciente. Compartiré contigo sus Subcategorías Emocionales principales y cómo aparecieron en sus vidas. Mira si puedes sentirte identificada con una o más de ellas para iniciar tu propio descubrimiento.

60 segundos de lectura

1. La fuerza de voluntad no funciona si el objetivo que deseas lograr no está alineado con tu sistema de creencias de tu mente subconsciente.
2. El objetivo principal de tu mente subconsciente es mantenerte segura.
    a. Segura realmente no significa "segura" de acuerdo a tu mente subconsciente.
    b. Para tu mente subconsciente, el cambio es atemorizante; el cambio es peligroso.
    c. Cada vez que intentes hacer un cambio que perturbe tu sistema de creencias actual, tu mente subconsciente se sale de control. Piensa que estás en peligro, y hará todo para traerte de vuelta a su lugar de "seguridad".
3. Tu mente subconsciente utiliza el Protocolo de lo Desconocido/Peligroso para traerte de vuelta a tu sitio "seguro".
    a. El Protocolo de lo Desconocido/Peligroso hará que dudes de ti misma, te hará sentir miedo o te hará sentir mal al revivir fracasos pasados de manera que DETENGAS lo que haces y vuelvas a donde se siente "seguro" nuevamente.
4. La mayoría de los problemas se remontan a una de las cuatro creencias erróneas:
    a. No soy suficiente.
    b. No soy digna.
    c. No soy amada.
    c. No estoy a salvo.

5. Para dominar a tu mente subconsciente, empieza por ser quien manda en tu mente. Dale comandos claros y directos a tu mente subconsciente.

    a. Crea metas pequeñas y simples que vayan en dirección a la gran meta definitiva, para prevenir que el Protocolo de lo Desconocido/Peligroso se active.

6. Tu mente subconsciente no conoce la diferencia entre lo que es real y lo imaginado. Para tu mente subconsciente es lo mismo.

    a. Para lo que sea que quieras lograr, imagínate vívidamente ya cumpliendo esa meta. Asegúrate de adjuntar emociones positivas fuertes al imaginar tu logro para ayudar a tu mente subconsciente a aceptarlo como "seguro" rápidamente.

    b. Esta simple técnica puede ayudarte a lograr cualquier meta en tu vida, más fácil y rápido.

7. Cuando tu mente consciente y tu mente subconsciente estén en conflicto, **tu mente subconsciente siempre ganará.**

Notas

_____
_____
_____
_____
_____
_____
_____
_____
_____
_____
_____
_____
_____
_____
_____
_____
_____
_____
_____
_____
_____
_____
_____
_____
_____
_____
_____
_____

CAPÍTULO 5

No soy lo suficientemente buena

No soy lo suficientemente buena es la Subcategoría Emocional más grande y oscura en tu biblioteca de películas. En el fondo de la mayoría de los problemas está una creencia subyacente de que no eres lo suficientemente buena. Antes de descartar esta noción como una posibilidad, ten en cuenta que esta creencia comúnmente está escondida bajo la superficie de tu pensamiento consciente, y todavía puede ser una fuente significativa de problemas para ti desde allí.

Este sistema de creencia podría aparecer como:

- No soy lo suficientemente [inserta tu palabra aquí] (como por ejemplo, inteligente, alta, guapa, divertida, mayor).
- Parece que no puedo hacer nada bien.
- A los demás les va mejor de lo que me va a mí.
- No tengo nada importante para contribuir.
- Algo está mal conmigo.
- Soy una buena para nada.

Estudio de caso: Samantha, Edad: 15 ½

Problema que presenta:

Samantha se había estado volviendo más distante en los últimos meses. Su mamá está preocupada porque repentinamente ha perdido 20 libras, no tiene apetito, y está teniendo dificultades para mantenerse al tanto en la escuela. Samantha solía ser una estudiante distinguida que sacaba puras "A", pero ahora ella tiene problemas para mantener sus calificaciones. Actualmente, está a punto de reprobar una clase porque está atrasada en varias tareas de escritura. También obtendrá una "C" en otra clase.

Samantha reportó sentirse agobiada por el estrés y las responsabilidades cada vez mayores. Tiene problemas al decir no y, como resultado, hace todo lo que la gente le pida. Ella se encargó de muchas tareas y entonces se siente sobrecargada con las obligaciones. Como consecuencia de sentirse agobiada, a Samantha le cuesta concentrarse durante el día y dormir durante la noche. Las tareas sencillas ahora son difíciles.

Historia familiar:

Los padres de Samantha se divorciaron cuando ella tenía diez años. Actualmente vive con su madre y sus dos hermanos menores. Ella describe su relación entre su madre, sus hermanos y ella como buena. Por un tiempo, ella estuvo viendo a su padre cada mes desde el divorcio. Esa relación es descrita como extremadamente estresante debido a: "No puedo hacerlo feliz". De hecho, es bastante estresante que no haya visto o hablado con su padre por casi un año. Él muy pocas veces hace un intento por contactarla.

Historia social:

Samantha es tímida y tiene pocos amigos cercanos. Ella solía disfrutar pasar el rato con ellos, pero últimamente se le hace difícil disfrutar de sí misma socialmente. Samantha dice tener dificultad al abrirse con las personas, incluso con sus amigos cercanos.

Palabras que Samantha comúnmente oye de otros al describirla:

Inteligente, estudiosa, simpática, bondadosa, callada, madura, responsable, generosa

Palabras que Samantha usa para describirse a sí misma:

Complaciente de personas, débil, no puedo decir "no", invisible y pusilánime.

Notas de la sesión uno:

Crecer con su padre fue difícil para Samantha. Sus padres constantemente peleaban. Hubo muchas situaciones de gritos entre sus padres. Siempre que sus padres peleaban, su padre menospreciaba a Samantha. Él era exigente, verbalmente abusivo y siempre tenía que tener la razón. Él era frío y distante.

Samantha no puede recordar que su padre alguna vez le haya dicho "Te amo" o "Estoy orgulloso de ti". Cuando ella trataba de abrazarlo, ella mayormente era puesta a un lado o se le decía que jugara en cualquier otra parte.

Desde una temprana edad Samantha intentó todo lo que se le pudo ocurrir para agradarle a su padre. Ella jugaba silenciosamente cuando él estaba a su alrededor. Intentó dar lo mejor de sí misma en la escuela e incluso jugó deportes que a ella no le interesaban, simplemente porque a su padre le gustaba ese deporte. Ocasionalmente su esfuerzo valía la pena y su padre le daría algo de atención.

Mientras que Samantha no estaba completamente consciente, el tema en su vida por el que atravesaba era: "No soy lo suficientemente buena".

Causa fundamental:

Nos remontamos al incidente de cuando Samantha tenía cinco años. Después de una horrenda pelea entre sus padres, Samantha decidió hacer un dibujo para que su padre se animara. Samantha pasó un largo tiempo perfeccionándolo; dibujando, borrando y redibujando hasta que pensó que era perfecto. Cuando finalmente estuvo satisfecha con su trabajo, ella muy animadamente se acercó a su padre. Con una gran sonrisa en su rostro, le presentó su obra de arte y dijo: "Dibujé esto para ti, papi. Espero que esto te haga feliz".

Su padre la miró brevemente pero no dijo una palabra ni hizo ademán de estirarse para recibir su regalo. Samantha silenciosamente se quedó allí y mantuvo la respiración por lo que parecieron horas para ella. Todavía, no hubo respuesta por parte de su padre. Samantha se acercó a él lentamente con su regalo extendido frente a ella. Su padre se lo arrebató, lo miró y dijo: "¿Crees que esto va a hacer que todo mejore? Míralo, es tan descuidado. ¡No hay nada bueno de esta imagen!" Entonces arrugó el dibujo, lo tiró en una esquina y volvió a ignorar a Samantha.

Samantha se quedó allí inmóvil, demasiado asustada para llorar o moverse.

En ese momento, Samantha recuerda sentimientos de:

1. Enojo: ¿Cómo podía él ser tan malo? Aun si no le gustó, no tenía que tratarme de esa manera.
2. Confusión: ¿Por qué no le gustó? Le dediqué mucho tiempo y energía en eso. Pensé que estaba bonito y que podría hacerlo feliz.
3. Inseguridad: ¿Siquiera sé lo que es bonito? ¿Soy descuidada? Parece que no puedo hacer nada bien. ¿Qué está mal conmigo?
4. Miedo: Su enojo siempre es aterrador para mí. Él es tan frío. Nunca puedo predecir qué hará.
5. Tristeza: Mi padre no me ama. Soy difícil de amar.
6. Desamparo: No puedo cambiar la situación. No hay nada que pueda hacer.
7. Odio a sí misma: No soy buena. No puedo hacer nada bien. No puedo hacer feliz a mi papá.

Cuando Samantha recordó la historia en nuestra sesión, ella sintió un gran enfado hacia su padre. Ella no podía entender cómo alguien podía ser tan cruel.

Samantha ahora identificó el cómo fue que este evento emocional único y significativo tuvo como resultado su patrón para tratar de complacer a todos como un intento de sentirse valorada y amada.

Después de trabajar en liberar el enojo, Samantha fue capaz de reconsiderar el recuerdo con una nueva perspectiva. Ella reconoció que su padre no estaba bien y que sus acciones reflejaban lo que sentía sobre sí mismo. Samantha finalmente entendió que no se trataba de ella en absoluto; ella simplemente fue un blanco fácil y conveniente para su ira. Ella decidió perdonar a su padre por sus acciones pasadas.

Samantha no podía creer cuan agobiante fue buscar continuamente la aprobación de su padre. Ella se sintió liberada y emocionada por aprender a ser la fuente de su propia "máquina de aprobación" como lo llamó.

Seguimiento de tres meses:

Samantha se ha puesto en contacto nuevamente con su padre; finalmente le dijo cuánto la habían lastimado sus acciones pasadas. También le dijo que lo perdonaba. Samantha dijo que se sintió muy sorprendida cuando su padre se puso a llorar y la abrazó. Fue un día maravilloso para Samantha.

Samantha también dijo que:

1. Ella ya está al corriente en sus clases y las pasará todas.
2. Se siente bien consigo misma.

3. Ahora duerme mejor y se concentra más al estar en la escuela.
4. Ella está ahora más consciente de sus propias necesidades y puede decir "no" a actividades que no le interesan o se adaptan a ella.
5. Ella se siente más segura de quién es y de lo que es capaz.

Seguimiento de seis meses:

La relación de Samantha con su padre es aún distante. Él ha hecho algunos esfuerzos menores por decirle ocasionalmente que se siente feliz con ella. Sin embargo, él todavía actúa fríamente y algunas veces es distante. Samantha se da cuenta ahora que su padre no está mentalmente bien y que ya no toma sus acciones como ataques personales o un reflejo de lo que ella es.

Samantha dijo que está saliendo más seguido con sus amigos. Se siente cómoda y tranquila cuando sale. Algo que la sorprendió es que se siente mucho más aventurera de lo que alguna vez pensó serlo.

Lección aprendida:

Samantha siempre había querido complacer a las personas. No entendía por qué se sentía de esa manera. Aunque se sentía agobiada, no podía decir que no. Esto se debía a ese evento emocional significativo que le sucedió a los cinco años que la llevó a creer que no era lo suficientemente buena para su papá. No se sentía amada, así que continuó haciendo todo lo que pudo para ganarse su amor. En algunas ocasiones su esfuerzo valía la pena y su padre le daba un poco de la atención que tan ansiosamente deseaba. Esto le reafirmó que para ser amada, ella debía hacer todo lo que podía para demostrarle a otro que ella es lo suficiente buena y merecedora de amor.

Una vez ella neutralizó las emociones vinculadas a este incidente, pudo ver la realidad de la situación y descubrir el error de este sistema de creencia. El problema no era que Samanta era difícil de amar, sino que su padre no estaba lo suficiente sano emocionalmente para mostrarle amor a Samantha de una manera cálida o consciente. El descubrir esto, le permitió a Samantha cambiar conscientemente su creencia y reconocer su verdadero valor. Ya no necesita la aceptación de los demás para sentirse bien sobre la maravillosa persona que es.

RECUERDA: *Siempre hay más versiones de la historia además de la tuya. También recuerda que las cosas no son siempre lo que parecen a primera vista.*

Cuando las cosas no vayan bien para ti, en lugar de concentrarte en lo que está mal y hacer el problema más grande, pregúntate: "¿De qué otra manera puedo ver esta situación? Tómate tu tiempo con esta pregunta. Sé una detective y busca pistas que señalen posibilidades de conclusiones diferentes, conclusiones más felices.

Cuando tengas una fuerte reacción negativa hacia algo, puedes apostar a que existe una creencia subyacente en juego. Ten la voluntad para detenerte, examinar la situación e identificar la creencia negativa en potencia, o el "desencadenador" de tus sentimientos. Ten la voluntad de abandonar tu pensamiento original o creencia y sé más abierta a ver evidencias de las nuevas (y mejoradas) posibles conclusiones que has creado. Podrías sorprenderte gratamente.

Autorreflexión

¿Cuál es tu mayor lección de este capítulo?

_____

_____

_____

_____

_____

_____

_____

_____

_____

_____

_____

_____

_____

_____

_____

_____

_____

_____

_____

_____

¿Cómo puedes utilizar lo que acabas de aprender para tomar el control de tu mente y ser una versión de ti más feliz y confiada?

_____

_____

_____

_____

_____

_____

_____

_____

_____

_____

_____

_____

_____

_____

_____

_____

_____

_____

_____

_____

CAPÍTULO 6

No soy digna

Muchas veces las creencias de "No soy lo suficientemente buena" y "No soy digna" van de la mano. Algunas veces es algo así: no merezco_____ porque no soy_____.

Este sistema de creencia podría presentarse como:

- No merezco ser exitosa porque soy realmente muy perezosa.
- No merezco ganar este premio porque en realidad no soy tan inteligente.

El "no soy digna" puede ser causado por tener sentimientos de culpa por algo que hiciste en el pasado.

Estudio de caso: Megan, Edad: 18

Problema que presenta:

Megan buscó ayuda porque recientemente se le diagnosticó con depresión, se le prescribió Zoloft y terapia semanal. Megan asistió a un total de nueve sesiones y dejó de ir porque no vio ninguna mejoría. También dejó de tomar el Zoloft porque le causaba mareo, dolores de cabeza y dolor de estómago mientras lo consumía.

Hace unas semanas, Megan reportó estar: "maldecida con pensamientos negativos". Sin importar lo que sucedía, Megan siempre reproducía escenas negativas en su mente. Ella se siente consumida por estos sentimientos negativos y cree estar perdiendo el control de su mente. Aunque todo vaya bien, Megan dice sentirse ansiosa y asustada de que "algo malo" vaya a suceder.

La situación estaba tan mal que Megan tuvo que dejar su trabajo de medio tiempo en un cine local porque estaba demasiado sensible y lloraba con facilidad.

Historia familiar:

Megan es hija única e informa haber tenido una infancia mejor que la promedio. Sus padres eran, y aún son, amorosos y comprensivos. Sus padres la alaban y constantemente presumen de ella con los demás. Megan recuerda haber escuchado a sus padres decir cosas como: "Megan es tan perfecta. Somos muy afortunados de tener una hija tan maravillosa", y "No sabría qué hacer si tuviéramos una hija problemática", refiriéndose a la hija del vecino de al lado.

Historia social:

Megan dice hacer amigos con facilidad. Siempre ha sido una de las chicas populares en su escuela. Ella es voluntaria semanalmente en varios centros locales de la comunidad.

Palabras que Megan comúnmente
oye de otros al describirla:

Bonita, inteligente, divertida, caritativa, generosa, amigable, amable

Palabras que Megan usa para
describirse a sí misma:

Falsa, hipócrita, una mala persona, fea, indigna, mentirosa

Notas de la sesión uno:

Al principio Megan estuvo bastante cerrada. Difícilmente hizo contacto visual, prefiriendo esconder su rostro detrás de las almohadas de la oficina. Megan insistió en no saber por qué razón ella siente que es una mala persona, pero simplemente sabe que lo es. Ella dijo reiteradamente "No merezco ser feliz. He hecho muchas cosas malas y no las puedo cambiar". Megan no comentó cuales eran esas cosas malas, pero decía cosas como: "No le agrado a la gente en el trabajo", y "Lastimo a las personas".

Notas de la sesión tres:

Megan está más cómoda y se está abriendo de manera significativa—aunque con cautela—en cada sesión posterior. Ella compartió conmigo muchos incidentes que "prueban" que ella es una mala persona ante sus propios ojos. También compartió una historia de algo que sucedió cuando tenía doce años—la razón por la que ella se odia a sí misma y cree que es indigna. Ese año, Megan había entrado a la secundaria por lo que empezó a asistir a una escuela nueva. A pesar de que había muchos estudiantes nuevos, Megan se sentía muy a gusto en su nuevo entorno y, como siempre, hizo fácilmente nuevos amigos. Como en los años anteriores, Megan comenzó a salir con las chicas mayores más populares después de unas cuantas semanas. La vida era fácil para ella.

En cambio para Ashley, la amiga de Megan, la vida se le estaba complicando. Ashley siempre fue pequeña, parecía muy joven para su edad y era socialmente inadaptada. Estar alrededor de chicas mayores hacia aún más notorio lo pequeña y extraña que era. Ashley no encajaba y era un blanco fácil en la escuela.

Megan sollozó estrepitosamente al recordar un incidente cuando algunas de las chicas populares empezaron a burlarse por la extrañeza y estatura de Ashley. Ashley empezó a llorar y miró a Megan; "Ella me rogaba con sus ojos que la ayudara", sollozó Megan. Por alguna razón desconocida, Megan se sentía enojada con Ashley por haberla puesto en el medio de esa situación. Megan miró a otra parte, insegura de qué hacer, y pretendió no darse cuenta del dolor y la humillación que Ashley tuvo que sobrellevar en ese momento. Aunque su voz interior le decía: "¡Haz algo!", Megan continuó pretendiendo estar ajena al padecimiento de Ashley.

Megan no recuerda que pasó después de eso pero expresa que se siente muy culpable por lo que sucedió. No se ha perdonado a sí misma por ser una cobarde. Megan admite, de hecho, que todas sus buenas obras son un simple esfuerzo por tratar de ocultar el hecho de que era una persona horrible y débil.

Megan estaba dudosa sobre perdonarse a sí misma al principio. Estaba asustada de que si dejaba ir la culpa y la pena, empezaría a involucrarse en esas actividades horribles nuevamente. Después de unas palabras tranquilizadoras, Megan fue capaz de iniciar el proceso para perdonarse a sí misma. Y al final de la sesión, Megan dijo sentirse mucho mejor sobre quien era y lo que había hecho.

Causa fundamental:

Sintiéndose más ligera y esperanzada, Megan estuvo dispuesta a trabajar en descubrir y eliminar otros eventos emocionales negativos significativos.

Megan se impresionó cuando recordó un incidente que ocurrió cuando tenía siete años. Megan y sus padres iban a visitar la casa de sus vecinos para cenar una noche. Megan y Riley (la hija de nueve años de los vecinos) estaban jugando en el cuarto de Riley mientras que sus padres estaban en la cocina preparando la cena.

Megan vio una hermosa caja rosa y le pidió a Riley que le mostrara lo que había dentro. Riley sacó con entusiasmo un collar nuevo que su madre le había dado hace una semana y se lo mostró con orgullo a Megan. Riley devolvió cuidadosamente el collar a su hermosa caja rosa antes de volver a jugar con Megan.

Después de la cena, la madre de Riley le pidió que buscara su collar nuevo para mostrárselo a Megan y a sus padres. Riley corrió a su cuarto y regresó con las manos vacías.

Riley dijo que el collar se había perdido y acusó a Megan de robarlo. Tan pronto como Riley soltó esa acusación, su madre la tomó del brazo y comenzó a gritarle: "¿Perdiste tu collar nuevo? Eres tan descuidada. No mereces nada bonito. ¿Cómo puedes culpar a la pequeña Megan por tu descuido? Estoy tan decepcionada de ti".

Riley trató de defenderse pero su padre intervino y severamente le dijo que se fuera a su cuarto, "Piensa en el problema que le estas causando a tu madre".

Riley se fue de la habitación llorando silenciosamente. Al salir, Riley miró a Megan, pero Megan evitó su mirada, estando demasiado avergonzada de sí misma porque ella sabía la verdad.

Más tarde esa noche, Megan salió para tirar lejos el collar. Al entrar a su casa, Megan escuchó a su madre decir: "No puedo creerle a esa Riley. Ella es una niña tan mala al culpar a nuestra pequeña Megan de esa manera. Megan es tan perfecta. No sé qué haría con una niña problemática así".

Megan sintió nauseas. Estaba segura de que si sus padres supieran la verdad, no la querrían más. Esa noche, Megan lloró hasta quedarse dormida.

Este recuerdo sorprendió a Megan, ya que ella no había pensado en este incidente desde hace muchos años. Al recordar esto, Megan sintió nuevamente mucha más vergüenza y culpa. Ella no podía creer no haberlo confesado nunca. A decir verdad, alrededor de unas cuantas semanas después de lo sucedido, Riley le había rogado muchas veces que le devolviera el collar. Megan miraba a otra parte cada vez que lo hacía y le decía: "No sé de qué me hablas. ¡Eres una mentirosa!"

Con una confianza significativa, Megan estuvo dispuesta a perdonarse y a aceptar que solo era una niña en ese entonces, e hizo lo mejor que sabía hacer en ese momento, y que ahora es tiempo de perdonarse a sí misma y seguir adelante.

Después de muchas rondas de trabajo para perdonarse, Megan dijo sentir un alivio enorme. Por primera vez en muchos años, Megan comenzó a verse a sí misma como una persona buena y amable. Ella reconoció que sus actos de generosidad no eran simple actuación después de todo. Megan finalmente pudo verse a sí misma como la mujer joven generosa y amable que realmente es.

Seguimiento de tres meses:

Megan informó sentirse feliz y más libre. Megan atribuyó su nueva visión de la vida a su capacidad de perdonarse verdaderamente. Ocasionalmente sus inseguridades regresarán. Cada vez que regresen, Megan se sobrepone de ellas al reafirmar: "Me perdono a mí misma. Soy una buena persona. Merezco felicidad".

Lección aprendida:

La culpa es una emoción negativa muy poderosa que puede reprimirnos y causarnos un gran dolor. En el caso de Megan, aunque se había olvidado acerca del incidente con Riley, ese incidente había sido un evento emocional significativo para ella que creó un montón de creencias negativas. Una vez ella se creó la idea de que era una mala persona—y por consiguiente no merecía ser amada—ella sin darse cuenta programó su mente para buscar información que apoyara ese sistema de creencias. Su mente hizo exactamente lo que ella le mandó a hacer y la hizo hiper-consciente de muchos incidentes que coincidieran con este sistema de creencias. La mayoría de esos incidentes eran menores, sin embargo jugaron un papel importante al confirmar sus creencias.

El perdón es el antídoto para la culpa. Cuando te perdonas a ti misma, liberas el peso de la culpa. Eso no significa que justifiques lo que hiciste, ni que pienses que está bien repetir esa acción. Cuando eliges perdonarte a ti mismo, simplemente reconoces y aceptas que hiciste lo que mejor sabías hacer en ese entonces. Te permites despojarte de la culpa de modo que puedas seguir adelante con tranquilidad. Estar en un entorno pacifico te permite tomar mejores decisiones para ti y tu futuro.

Si conservas sentimientos de culpa sobre algo, ahora es el momento para dejarlos ir. Permítete liberarlos y perdonarte. No necesitas de la culpa para evitar cometer el mismo error o "aprender la lección". Una vez te hayas perdonado, te volverás más libre y tus decisiones serán más claras.

Autorreflexión

¿Cuál es tu mayor lección sobre este capítulo?

_____

_____

_____

_____

_____

_____

_____

_____

_____

_____

_____

_____

_____

_____

_____

_____

_____

_____

_____

_____

_____

_____

¿Cómo puedes utilizar lo que acabas de aprender para tomar el control de tu mente y ser una versión de ti más feliz y confiada?

_____

_____

_____

_____

_____

_____

_____

_____

_____

_____

_____

_____

_____

_____

_____

_____

_____

_____

_____

CAPÍTULO 7

No soy amada

Como humanos, todos tenemos una enorme necesidad de sentirnos amados y de estar conectados con otros. El amor es una emoción tan importante que impulsa muchos de nuestros pensamientos y acciones. Cuando nos sentimos amados y conectados, la vida de alguna manera parece más fácil. Cuando carecemos de amor y conexión, muchas veces nos sentimos solos e incompletos.

"No soy amada" frecuentemente se presenta como:

- No le agrado a nadie.
- Estoy completamente sola en este mundo.
- Todo el mundo me abandona.
- Nadie me ama.
- ¿Quién me amaría?

Estudio de caso: Jessica, Edad: 16

Problema que presenta:

Susan trajo a su hija, Jessica, en busca de ayuda debido a los crecientes arrebatos de ira de Jessica en los meses pasados. En las últimas tres semanas, las cosas han empeorado significativamente cuando Jessica se involucró en dos disputas verbales y una pelea a golpes en la escuela. Jessica también pelea diariamente con su hermana menor. Susan se siente desesperada e insegura sobre qué hacer. El consejero de la escuela de Jessica recomendó que ella vea a su doctor para que le dé medicamentos para "calmar sus nervios".

Historia social:

Jessica es una estudiante buena que sobresale en matemáticas, inglés y artes. Es un poco solitaria y solamente tiene una amiga cercana y muchos conocidos. Si bien es querida y recibida por los demás, ella prefiere estar sola. Jessica pasa la mayoría de su tiempo escuchando música y dibujando.

Palabras que Jessica comúnmente oye de otros al describirla:

Talentosa, callada, artista, solitaria, buena, inteligente

Palabras que Jessica usa para describirse a sí misma:

Artista, creativa, solitaria, enfurecida, sola en este mundo.

Notas de la sesión uno:

Jessica estaba llena de ira y frustración cuando vino. Ella dijo que odiaba sentirse de esta manera, pero tampoco sabía cómo detenerse. Pasó los primeros 15 minutos de la sesión caminando de un lado para el otro mientras me hablaba. Después de hacer algunos ejercicios de relajación, pudo calmarse.

Jessica manifestó un gran enojo hacia sus padres. Ella siente que la única vez que le prestan atención es cuando ella está en problemas; de otro modo actúan como si ella no existiera. Jessica odia ser parte de la familia. "Todos son un desastre, sin embargo, (refiriéndose a sus padres) siempre pretenden que son la familia perfectamente feliz".

Jessica pasó la mayor parte de la sesión desahogándose, soltando rápidamente todas las cosas "estúpidas" que hacían sus padres para mantener la fachada de familia perfectamente feliz.

Sus pensamientos iban con rapidez, y muchas ideas no se conectaban. Jessica se desmoronó y lloró de frustración porque no podía expresarse por sí misma.

Pasamos gran parte de la sesión practicando técnicas de relajación y permitiendo que Jessica se desahogara y llorara.

Notas de la sesión dos:

Jessica estaba más calmada hoy. Dijo orgullosamente que ha estado haciendo sus ejercicios de relajación y que le han estado ayudando a relajarse.

Pasamos el día hablando sobre la muerte de su hermano y lo que esta significaba para ella.

Jessica recuerda que su infancia fue buena. Aunque no tenía una estrecha relación con sus padres, las cosas estaban bien entre ellos. Ella recibió todo el amor y la atención que necesitaba de su hermano, Jonathon, quien era también su mejor amigo. Hacían todo juntos; incluso cuando los amigos de Jonathon querían excluir a Jessica, él siempre la elegía a ella; aun si eso significaba ser excluido también.

Jonathon era un artista maravilloso, naturalmente. Sus talentos de dibujo eran bien conocidos en la escuela; Jessica siempre admiró eso de él. Seis meses antes de morir, Jonathon había tenido un gran interés en ayudar a Jessica a desarrollar sus habilidades de dibujo. Ellos pasaban horas creando y perfeccionado su trabajo.

Entonces sucedió la pesadilla. Jessica llegó a casa con su madre después de comprar comestibles para ver muchas luces de los carros de policía en la calle cerca a su casa. Su madre salió corriendo del auto hacia la casa solo para ser detenida y devuelta por un oficial de policía. Él le dijo algo a ella que Jessica no pudo oír. Entonces escuchó el grito más ruidoso y desgarrador que jamás había escuchado; vio a su madre caer al suelo, lamentándose profundamente.

Jessica se acercó para ver más de cerca. Antes de que cualquier oficial pudiera detenerla, estaba parada al lado de su madre; frente a ella estaba el cuerpo de su hermano en una camilla. Su camisa estaba cortada a la mitad dejando expuesto su pecho. Un hombre puso una manta sobre él para cubrir su cuerpo y su rostro. Antes de que lo cubrieran completamente, Jessica recordó la fría mirada en los ojos de su hermano—una imagen que todavía hoy la persigue. Un conductor ebrio había atropellado a Jonathon cuando él iba en su bicicleta frente a su casa. Jonathon tenía 13 años.

Esa noche la familia se reunió en luto y para apoyar a la familia de Jessica. Aunque la casa estaba llena de gente, Jessica nunca antes se había sentido tan sola como esa noche. Nada era real para ella. Todos se movían en cámara lenta. Mentalmente, ella sabía que su hermano había muerto; emocionalmente, se negaba a aceptarlo.

En un determinado momento de esa noche, Jessica les gritó a todos que dejaran de llorar y se fueran a casa. Ella no ya no quería jugar ese estúpido juego; Jonathon tenía que estar vivo. Jessica corrió alrededor de la casa llamándolo a gritos para que dejara de esconderse y saliera.

Jessica fue llevada rápidamente a otro cuarto por su tía: "Necesitas ser valiente y fuerte por tus padres. Tienes que poner buena cara. No pueden lidiar con más dolor justo ahora", le dijo ella y abrazó a Jessica.

Durante el resto de la noche, Jessica se sentó en silencio sosteniendo su libro de dibujo. Esa era su única conexión con Jonathon.

Esa noche le dijeron a Jessica que durmiera en la sala para que sus tíos pudieran dormir en su cuarto. Estar en la sala de estar por sí sola fue muy aterrador para ella; era muy grande y fría. Todos estaban en el segundo piso y ella estaba allí completamente sola.

Estando en la oscuridad, Jessica sintió:

1. Soledad: no había nadie allí para ella.
2. Confusión: ¿Por qué tenía su hermano que morir?
3. No amada: no queda nadie que la ame.
4. Abandono: ¿Cómo pudo su hermano dejarla?
5. Temor: ¿Quién la protegerá ahora?

6. Agobiada: tenía que poner buena cara para sus padres.
7. Tristeza: su mejor amigo se había ido.
8. Miedo: ella no podía sacarse de la mente el recuerdo de la fría mirada de su hermano.

Jessica se sorprendió de cuantos detalles recordaba y el gran dolor que aun llevaba. Con ayuda, fue capaz de disminuir la mayoría del dolor por el que había pasado esa noche.

Notas de la sesión tres y cuatro:

Las primeras semanas después de la muerte de su hermano fueron insoportables para ella. No solamente había perdido a su hermano y mejor amigo, sentía como si también hubiera perdido a sus padres. Su madre no salía de la cama—pasaba cada día y cada noche llorando. Su padre era incapaz de lidiar con ello y se iba cada noche a un bar para escaparse. Eso dejó a Jessica completamente sola sin nadie con quien hablar. Su soledad y sentimientos de no ser amada se amplificaron.

Los próximos meses mejoraron un poco. Su madre comenzó a tomar medicamentos para calmar los nervios y era capaz de salir de la cama y vagar por la casa. Sin embargo se movía lentamente casi sin expresión en su rosto, casi parecida a un zombi. El doctor de su madre le recomendó terapia de duelo para la familia, pero sus padres se negaron.

Su padre comenzó a trabajar en casa. Aunque sus padres estaban físicamente allí, estaban emocionalmente ausentes. Las conversaciones en las que se habían centrado eran sobre el trabajo de su padre y los medicamentos de su madre. Ocasionalmente mencionaban a Jonathon diciendo cuan buen hijo era y cómo estaba de muerta la casa ahora que él se había ido.

Jessica recuerda haber querido gritar: "¡Estoy aquí! ¡Estoy viva! ¡Préstenme atención a mí!"

Jessica se volvió más y más retraída al hacerse más fuertes en su mente los sentimientos de no ser amada. Se preguntaba qué estaba mal con ella; no sabía por qué no la querían.

Seis meses después de la muerte de Jonathon, su madre volvió a la vida. Ella volvió a cocinar y a limpiar. Algunas veces hasta le pedía a Jessica que fuera a ver televisión con ella. Incluso su padre se veía feliz de alguna manera.

Jessica estaba confundida pero no le tomó importancia. Ella solo estaba feliz de tener nuevamente un poco de atención por parte sus padres.

Luego, ese mes, sus padres la sentaron para darle la gran noticia. Su madre exclamó: "¡Nuestra familia ha sido salvada! ¡Vamos a tener vida nuevamente en esta casa!". La madre de Jessica estaba embarazada y esperaban que el bebé naciera en enero. Jessica estaba conmocionada, no sabía qué decir o qué sentir. Jessica recordó haber pensado: "¿Un bebé? ¿Vida nuevamente en esta casa? ¡Yo estoy viva! ¡Siempre lo he estado! ¿Acaso mi vida no cuenta?".

Adelantándose unos años, Jessica dijo que se sentía aún más distante con sus padres. Ellos gastaban más tiempo y atención en Jennifer que rara vez notaban la presencia de Jessica. Por supuesto, pretendían incluirla algunas veces en sus actividades, pero sus ofertas eran tan falsas que enojaban aún más a Jessica.

Notas de la sesión cinco:

Jessica dice sentirse aún más ignorada en los últimos seis meses. Ahora Jennifer está en primer grado y sus padres pasan más tiempo con ella, lo que deja poco tiempo para Jessica. Su enojo y resentimiento se han estado fortaleciendo, afectando su actitud en la escuela y en casa. Jessica siente como si tuviera un monstruo dentro de ella que solo quiere salir y desatar su ira contra el mundo. Recientemente Jessica no ha podido controlarse a sí misma y se ha metido en muchas peleas.

Sesión privada con los padres de Jessica:

Ambos padres estuvieron de acuerdo y confirmaron el relato de Jessica de que no estaban emocionalmente disponibles luego de la muerte de Jonathon. Ellos se sintieron mal por eso y trataron de compensar a Jessica; sin embargo, la mayoría de las veces sus esfuerzos eran rechazados o ignorados. Jessica seguido les decía: "Estoy bien. Me gusta estar sola". Ellos pensaron que lo mejor que podían hacer era dejarla sola y lidiar con su pena a su manera.

Este patrón persistió por varios años, Jessica siempre estaba sola haciendo lo suyo. Su madre dijo: "Ella siempre fue una buena estudiante y nunca se quejaba de nada. Realmente pensamos que ella era un chica introvertida... algo solitaria... siempre que le preguntábamos si quería hacer algo con nosotros decía que no. No queríamos obligarla a nada".

Jessica estuvo de acuerdo con esta historia, pero añadió que sentía que las invitaciones nunca habían sido sinceras. Ella insistió en que si ellos la amaran, la comprenderían mejor.

Notas de la sesión seis a la doce:

Las siguientes pocas sesiones se emplearon para trabajar con Jessica y sus padres individualmente, ayudándolos a procesar el dolor por la muerte de Jonathon y reparar la brecha en sus relaciones. Jessica pudo deshacerse de su enojo hacia sus padres y superar su pena por haber perdido a su hermano. También pudo deshacerse del resentimiento que tenía hacia su hermana.

Seguimiento de tres meses:

La relación de Jessica con sus padres está mejorando progresivamente. Ahora Jessica puede ver que la aman y la valoran como un miembro de la familia. Jessica vio cómo sus acciones afectaron su sentimiento de falta de amor. Su falta de interés a participar en las actividades familiares y el decirles constantemente que le gustaba estar sola fue la causa de muchos malos entendidos y dolor. Jessica aprendió que necesitaba ser una participante activa al crear la vida que deseaba. También dice que se está llevando mejor con Jennifer.

Seguimiento de seis meses:

Jessica se unió al club de arte en la escuela y ahora tiene muchos amigos. Ella dice estar más feliz con su vida en general. Ya no existe la ira y ella siente paz. La relación con sus padres y Jennifer sigue mejorando; y de hecho, Jessica ahora le está enseñando a Jennifer cómo dibujar.

Lección aprendida:

Esta es una gran lección sobre la manera en la que creas tu propia realidad. Debido a la muerte de Jonathon y los consecuentes meses que le siguieron, Jessica aprendió a creer que no era amada. Sus padres estaban inmersos en su propio dolor, dejando a Jessica sentirse aislada, solitaria y no amada. Una vez Jessica creyó que no era amada, su mente subconsciente entró en marcha en busca de evidencia que apoyara sus creencias. Cada vez que sus padres no le prestaban atención era otra prueba para confirmar sus creencias. Cuando sus padres intentaban relacionarse con ella, Jessica se negaba. La creencia de Jessica de que no era amada y de que no podía serlo, le hizo imposible darse cuenta de que estas eran, ciertamente, actos de amor dirigidos a ella. En cambio, ella creyó que eran falsos intentos y se volvió más solitaria e irritable.

La experiencia de Jessica es un buen ejemplo de por qué la ayuda profesional es importante después de un suceso traumático. La familia pudo haber pasado juntos el duelo y posiblemente volverse más cercanos en vez de venirse abajo. Además, hubiera sido más fácil para Jessica aceptar a Jennifer desde un principio si Jessica se hubiera sentido segura en su relación con sus padres.

RECUERDA *que siempre eres tú quien está a cargo de tu realidad. Todo en lo que te* *concentres se vuelve parte de tu realidad. Si te concentras en la parte negativa de un evento, tu experiencia será negativa. Entre más te concentres en los aspectos negativos, más fuertes se volverán tus creencias negativas. Sin importar si gastas tu tiempo y energía concentrándote en lo negativo o en lo positivo, gastarás tu tiempo y energía de algún modo. ¿Por qué no eliges entonces concentrarte en los aspectos positivos en vez de los negativos, y creas experiencias felices para ti? Tú mereces ser feliz, y tú estás a cargo de tu felicidad.*

Autorreflexión

¿Cuál es tu mayor lección sobre este capítulo?

_____

_____

_____

_____

_____

_____

_____

_____

_____

_____

_____

_____

_____

_____

_____

_____

_____

_____

_____

_____

_____

_____

¿Cómo puedes utilizar lo que acabas de aprender para tomar el control de tu mente y ser una versión de ti más feliz y confiada?

_____

_____

_____

_____

_____

_____

_____

_____

_____

_____

_____

_____

_____

_____

_____

_____

_____

_____

_____

_____

_____

CAPÍTULO 8

No estoy a salvo

"**N**o estoy a salvo" puede referirse tanto a la seguridad física como a la seguridad emocional y con frecuencia se presenta como:

- Las personas quieren lastimarme físicamente.
- Las personas quieren lastimarme emocionalmente.
- Soy demasiado débil para defenderme.
- Las personas son malvadas.
- La gente se aprovecha de mí.
- El mundo es tan aterrador.
- No puedo confiar en nadie.

Estudio de caso: Hailey, Edad: 13

Problema que presenta:

Pamela, la madre de Hailey, la ha traído porque ha estado cada vez más temerosa de estar sola. Hailey normalmente duerme con la puerta cerrada y las luces apagadas. Un día, sin razón aparente, Hailey tuvo una noche bastante difícil sin poder dormir. Desde esa noche en adelante, ella tenía que mantener la puerta abierta y las luces encendidas al ir a acostarse. En los meses posteriores, ella se volvió más ansiosa y asustadiza.

El nerviosismo y el miedo de Hailey al estar sola ahora son tan grandes que no puede estar sola por más de 10-15 minutos sin entrar en un estado de ansiedad que requiere la intervención de su madre. Ella sigue a su madre y a su hermano Jack, de quince años, constantemente alrededor de la casa. Hace poco le empezó a rogar a su madre para que la dejara dormir en su cuarto. Su hermano está resentido porque ha perdido una parte considerable de su libertad por tener que ser su "niñero".

Historia familiar:

Hailey es la menor de dos hermanos, fue criada por una madre soltera. El padre de Hailey murió de cáncer cuando ella era muy pequeña. Tanto Hailey como su hermano eran muy pequeños para entender el impacto de la muerte de su padre en ese entonces. Pamela no se ha vuelto a casar nunca y es una madre devota.

Historia social:

Hailey es una estudiante promedio de "B" con muchos amigos cercanos en la escuela y la iglesia. Se lleva bien con sus compañeros y con los adultos. Ha estado asistiendo a la misma iglesia semanalmente por muchos años y hasta hace cuatro meses era bastante activa en el grupo juvenil de su iglesia. Últimamente Hailey prefiere quedarse en casa con su madre y hermano.

Palabras que Hailey comúnmente oye de otros al describirla:

Buena, servicial, amigable, divertida, sociable, alegre

Palabras que Hailey usa para describirse a sí misma:

Común, ansiosa, asustada todo el tiempo, asustada de estar sola, infantil, algo está mal conmigo

Notas de la sesión uno:

Hailey es una niña dulce con sonrisa cautivante y voz suave. Ella estaba un poco nerviosa al principio pero entró en confianza fácilmente. Ella dijo: "Voy a hacer lo que usted me diga porque estoy cansada de estar asustada".

Hailey negó cualquier abuso, trauma o evento significativo en su vida. Afirmó no tomar alcohol o drogas.

Hailey se siente frustrada y confundida porque no entiende por qué le sucede esto. Se siente cansada de estar asustada y quiere volver a su vida normal. La vida era buena para Hailey hasta una noche, hace cuatro meses, en la que no logró dormir. Mientras Hailey daba vueltas en su cama, vio lo que ella pensó eran sombras moviéndose a lo largo de las paredes. Al principio ella no pensó mucho tiempo en eso porque sabía que estaba cansada, pensó que sus ojos le estaba jugando una mala pasada.

Así como transcurría la noche, Hailey iba y venía en sueños. Cada vez que se despertaba se volvía cada vez más ansiosa, y las sombras se hacían más y más notables.

En un momento, Hailey estaba segura de que había alguien en su cuarto. Tomó su celular y uso la función de linterna para comprobar y asegurarse de que no había nadie allí.

La noche siguiente Hailey tuvo problemas para dormir nuevamente. Esta vez, sin embargo, Hailey se sintió nerviosa inmediatamente y tuvo que abrir la puerta y encender las luces para sentirse cómoda. Esto le dio inicio al nuevo patrón de Hailey de dormir con la puerta abierta y las luces encendidas.

Unas pocas semanas después, Hailey estaba estudiando en su cuarto como siempre lo había hecho anteriormente. Su madre estaba preparando la cena en el piso de abajo y su hermano estaba viendo televisión en la sala. Nuevamente, sin razón aparente, Hailey sintió un gran nerviosismo y miedo de que algo estuviera mal. Ella bajó las escaleras corriendo para ver cómo estaban su madre y hermano. Hailey permaneció cerca de su madre por el resto de la noche.

Hailey empezó a pasar cada vez menos tiempo a solas. Al principio, Pamela disfrutaba la compañía y estaba disfrutando de verdad esta experiencia de unión entre madre e hija. Ella no se había dado cuenta de que había un problema hasta que Jack lo mencionó una noche durante la cena. Él le dijo a Pamela que estaba harto de que Hailey lo siguiera. Sentía que no tenía ninguna libertad porque a donde sea que estuviera, Hailey estaba justo ahí junto a él. Se sentía sofocado y exigió que parara.

Por primera vez, Pamela se dio cuenta de que la experiencia de unión entre madre e hija era, en realidad, Hailey siendo muy insegura. Mirando hacia atrás, Pamela se dio cuenta de que Hailey ya no pasaba tiempo a solas excepto para irse a dormir. Pamela tampoco pensó mucho sobre la nueva preferencia para dormir de Hailey, pero en retrospectiva, todo se volvió más claro.

Como un esfuerzo por ayudar a Hailey, Pamela comenzó a ser más firme, insistiéndole a Hailey que pasara más tiempo a solas cada día. Cada vez que Hailey lo intentó, duraba un máximo de quince minutos y después correría hacia Pamela llorando e hiperventilando. Pamela tuvo que ayudarla al guiarla en ejercicios de respiraciones profundas para que se tranquilizara.

Cuando Hailey empezó a rogarle a Pamela que la dejara dormir en su cuarto, ella finalmente se dio cuenta de la severidad del problema y buscó ayuda.

Aunque no hubo eventos significativos reales que llevaran a Hailey a experimentar esa noche en vela, fue muy traumática para ella. En esos estados intermedios del sueño, Hailey se sentía muy nerviosa e insegura.

Debido a que este evento fue tan significativo y específico, pudimos utilizar un método sencillo para distorsionar está película en su mente. Al final de la sesión, Hailey se fue sintiéndose más confiada en sí misma.

A la mañana siguiente, Pamela llamó para contarme que Hailey durmió con sólo una luz de noche encendida. Ella se fue a la cama sintiéndose un poco nerviosa, pero muy emocionada de comprobar si la sesión había ayudado. Esa fue la primera noche de descanso para Hailey en mucho tiempo.

Notas de la sesión dos:

La semana siguiente Hailey volvió con más entusiasmo para continuar nuestro trabajo juntas. Ella dice que ha podido dormir con las luces apagadas las últimas dos noches. Sin embargo, aún estaba asustada de pasar tiempo a solas y todavía pasaba mucho de su tiempo siguiendo a su madre y a su hermano. Pasamos el resto de la sesión trabajando en cambiar su mentalidad para aceptar que es valiente y segura.

Causa fundamental:

Durante la sesión tres, descubrimos un incidente que sucedió cuando Hailey tenía cuatro años. Hailey había ido a jugar al patio trasero sola, como lo había hecho muchas veces antes; sin embargo, cuando volvió a entrar a la casa esa vez, no pudo encontrar a su madre o hermano. Ella los llamó y los buscó por toda la casa. Estaba asustada porque no podía encontrarlos. En aquella ocasión, Hailey estaba segura de que alguien había entrado y los había secuestrado. Estaba aterrorizada de no volver a verlos.

Hailey recuerda haberse sentido extremadamente sola y muy asustada de que la gente que había secuestrado a su madre y hermano fuera a volver por ella. Recuerda estar demasiado asustada para llorar o moverse. A cada simple ruido que oía, ella creía que era el secuestrador que volvía por ella.

Lo próximo que recuerda es haberse despertado en la oscuridad, en su propia cama, con mucho dolor en su frente. Ella gritó llamando a su mamá y ella vino a ella corriendo.

NO ESTOY A SALVO 99

Hailey se enteró después de que su madre y hermano simplemente habían salido de la casa para saludar a los nuevos vecinos. La mamá de Hailey vio que estaba jugando en el patio trasero y no quiso interrumpirla.

Cuando su mamá había vuelto a entrar en la casa encontró a Hailey durmiendo en las escaleras y la llevó a su cama. Evidentemente, debió haberse desmayado del miedo y se había golpeado la cabeza, pero su mamá no lo sabía. Ella simplemente pensó que se había quedado dormida esperando a que entraran y la llevó a la cama.

Nuevamente, debido a que este evento fue tan significativo y específico, pudimos distorsionarlo fácilmente. Hailey fue capaz de ver la imagen completa y aceptó que estaba a salvo y que su madre y hermano estuvieron también a salvo todo el tiempo.

Una vez Hailey entendió y aceptó completamente la realidad de la situación, fue capaz de seguir adelante.

Seguimiento de tres meses:

La vida ha vuelto a la normalidad para Hailey y su familia. Hailey informó que ya puede dormir con las luces apagadas y que se siente cómoda al estar sola. Cuando ese antiguo miedo trató de volver, ella cerró sus ojos e imaginó que veía una película y la quitaba. De vez en cuando se imaginaba que cambiaba esa antigua película a su programa de televisión favorito. Eso le brindaba calma y tranquilidad inmediata. El usar esta técnica sencilla le ha ayudado a Hailey a tomar el control de su vida. Ahora participa activamente en su grupo juvenil incluso más que antes.

La mamá de Hailey hizo un paréntesis interesante: la motivación y la concentración de Hailey han crecido significativamente. Ahora ella obtuvo cuatro "A" y dos "B" en sus clases de la escuela.

Lección aprendida:

Esta es una lección fundamental sobre lo que puede hacer nuestra mente para mantenernos como rehenes. Aunque Hailey pasó por un trauma no "real", su imaginación y su creencia errónea de cuando era pequeña creó la creencia profundamente arraigada de que no estaba a salvo. Una vez que esa creencia es creada y colocada en el CI, se ejecuta en el trasfondo de la mente, buscando a su vez evidencia que la apoye. Tengo la certeza de que hubo muy pocas incidencias que validaran este sistema de creencia para Hailey. Sin embargo aquella noche en la que Hailey no pudo dormir definitivamente trajo esta antigua creencia escondida ante la mente subconsciente de Hailey. El Protocolo de lo Desconocido/Peligroso estaba en alerta máxima y Hailey sintió un miedo enorme a lo largo del día. Tuvo que mantenerse a lado de su madre por seguridad. Cuando estas emociones vinculadas a esta creencia fueron neutralizadas Hailey pudo darse cuenta de que ella y sus seres queridos estaban a salvo. El Protocolo de lo Desconocido/Peligroso se desactivó y Hailey estuvo una vez más en paz.

RECUERDA *Tu mente subconsciente no es capaz de diferenciar entre lo que es real y lo que es vívidamente imaginado.*

En el caso de Hailey, su imaginación a la edad de tres años fue lo que luego le causó gran dolor y pena en su vida.

Sé buena contigo misma. Si te atrapas creando escenarios hipotéticos aterradores en tu mente o reproduciendo experiencias dolorosas del pasado, oblígate a parar. Permítete enfocarte en algo diferente. Ya que cualquier cosa en la que te concentres se vuelve más grande en tu mente, ¿por qué no te enfocas en las cosas que te dan felicidad?

Espero que este libro y los cuatro casos de estudio que éste contiene te hayan ayudado a entender lo poderosa que es tu mente y de qué manera puedes desempeñar un rol al crear tus experiencias de vida.

RECUERDA: *Tu eres la jefa. Está en ti darle los comandos a tu asistente para que te acerques cada vez más a tus sueños y metas.*

Si te encuentras a ti mismo alejándote de tus sueños y metas, haz una pausa, reevalúa, y redirígete a un plan de acción que mejor se amolde a tus necesidades. Puedes aprender a tomar el control de tus sentimientos, emociones y acciones. Puedes aprender a tomar el control de tu vida.

Autorreflexión

¿Cuál es tu mayor lección sobre este capítulo?

_____

_____

_____

_____

_____

_____

_____

_____

_____

_____

_____

_____

_____

_____

_____

_____

_____

_____

_____

_____

¿Cómo puedes utilizar lo que acabas de aprender para tomar el control de tu mente y ser una versión de ti más feliz y confiada?

_____

_____

_____

_____

_____

_____

_____

_____

_____

_____

_____

_____

_____

_____

_____

_____

_____

_____

5 sencillos pasos para gestionar tus emociones

¿Te sientes frustrada porque un mal acontecimiento puede arruinarte todo el día o incluso toda la semana? ¿Parece que sin importar lo que intentes hacer, no puedes deshacerte de esos pensamientos y sentimientos negativos? En vez de ser capaz de soltar las cosas con facilidad, ¿te aferras a ellas mucho tiempo después de que todo el mundo parece haberlas olvidado?

Si has respondido afirmativamente a estas preguntas, no estás sola. A muchas personas les cuesta dejar ir las cosas. En cambio, cuando algo va mal, repiten ese escenario una y otra vez en su cabeza, lo que hace que se sientan peor consigo mismas o peor con la otra persona o personas implicadas.

Piensa en la última discusión que tuviste con alguien que te haya molestado mucho. ¿Cómo fue? ¿Reprodujiste la discusión una y otra vez y te castigaste por todas las cosas que deseabas haber hecho o dicho de forma diferente? ¿Inventaste conversaciones que ni siquiera tuvieron lugar y te sentiste aún más molesta? ¿Pensaste en otras situaciones similares y caíste en una espiral de tristeza, ira o dolor?

Digamos que después de la discusión, quisiste arreglar las cosas. ¿Pudiste sacudirte esas negatividades para poder hacer lo que querías, o te pesó y frenó tu estado de ánimo? ¿Te sentiste en control de tus emociones o sentiste que tus emociones te controlaban a ti?

A muchas personas les resulta difícil deshacerse de esos sentimientos negativos, incluso cuando quieren dejar ir las cosas. Esto se debe a que no entienden cuánto poder y control tienen sobre sus emociones. Tal vez ésta sea tu situación actual.

Comprender tus sentimientos y saber qué hacer con ellos puede parecer una tarea difícil en este momento. Sin embargo, con las herramientas adecuadas, esta tarea puede resultar manejable e incluso fácil. Cuando utilices los 5 sencillos pasos descritos en este libro -que en realidad son 5 sencillas preguntas- entenderás por qué te sientes de la forma en la que te sientes, y qué puedes hacer para dejar que esos sentimientos desaparezcan. Ya no tienes que dejar que los sentimientos negativos o el mal humor te arruinen el día. En su lugar, puedes hacerte cargo de tu estado de ánimo y centrarte en crear una relación feliz contigo misma y con las personas que te importan.

La gran noticia es que, una vez que entiendas cómo utilizar estas 5 sencillas preguntas, podrás utilizarlas para ayudarte a resolver problemas con cualquier persona, ya sea un padre, un amigo, un conocido o incluso contigo misma.

Para ilustrar cómo puedes utilizar estas 5 sencillas preguntas, veamos un escenario que ocurrió entre mi clienta de dieciséis años, Amie, y su madre, Beth.

Beth está en casa esperando ansiosamente el regreso de su hija, Amie. Son las 10 de la noche, es decir, treinta minutos después del toque de queda de Amie. Amie vuelve a llegar tarde. Beth sigue mirando el reloj. Los minutos parecen horas. Beth se enfada más. Beth no puede entender por qué Amie sigue violando su toque de queda y no respeta sus reglas.

Las peleas entre Beth y Amie han ido aumentando en los últimos meses. Después de su última gran discusión, Beth castigó a Amie durante dos semanas porque esta volvió a casa tres horas tarde. Amie hizo todo lo posible por no hablar con Beth durante las dos semanas. Cuando se veía obligada a interactuar, Amie limitaba sus respuestas a una o dos palabras. La ira, la frustración y el resentimiento entre Beth y Amie siguieron creciendo.

En otra pelea, la semana siguiente, Amie le gritó a Beth, acusándola de ser poco razonable, injusta y demasiado estricta con el toque de queda. Entre sollozos, Amie le suplicó a Beth que viera que ya había crecido. Amie le pidió comprensión, confianza y respeto por su capacidad de tomar buenas decisiones por sí misma.

Como muchas de las peleas anteriores, ésta terminó con Amie marchándose enfadada a su habitación y dando un portazo mientras Beth se quedaba de pie, frustrada e impotente.

Desde la última pelea, Beth ha intentado ser más indulgente cuando Amie rompe el toque de queda. En lugar de gritarle a Amie y castigarla, Beth hace lo posible por recordarle con calma el toque de queda. Aunque Beth se siente enfadada y despreciada por dentro, por fuera mantiene el control y le dice a Amie: "No me gusta que llegues tarde a casa. Estaría bien que regresaras a casa a las 10 de la noche. Así podría confiar y respetar más tus decisiones". Al notar que su ira aumenta, Beth sale de la casa y da un paseo para calmarse. Esto ha ocurrido al menos cuatro veces en las dos semanas anteriores.

Beth cree que se está manejando bien, pero la ira y el resentimiento no han desaparecido. De hecho, han ido aumentando. Hoy, ya no puede contenerse. A medida que pasan los minutos, su ira aumenta. Beth recuerda todas las veces que Amie ha violado su confianza o ha actuado de alguna manera arrogante o desagradecida. Beth se pone furiosa.

En el momento en que Amie entra en la casa, Beth le gritó a Amie, diciéndole que está harta de que le falten al respeto. Y añade: "He criado a una hija mucho mejor que tú. No sé qué he hecho para merecer esto. Eres una egoísta. No te preocupas por mí. Todo lo que haces es causarme dolor."

Amie se queda sin palabras y confundida por lo que está pasando. Son sólo las 10:40 de la noche, veinte minutos antes que las veces anteriores, cuando llegaba a casa a las 11 de la noche encontrándose con una madre tranquila y razonable.

Como puedes imaginar, ni la madre ni la hija están contentas con el intercambio. Ambas se sienten enfadadas y decepcionadas.

A lo largo de este libro, examinaremos cómo Beth y Amie utilizaron las 5 sencillas preguntas para cambiar su estado de ánimo soltando los sentimientos negativos y, en última instancia, crear una relación más feliz consigo mismas y con la otra.

5 sencillos pasos para gestionar tus emociones: un diario guiado

Este diario se creó como complemento del libro *5 sencillos pasos para gestionar tus emociones.* Fue diseñado para ayudarte a desarrollar una comprensión más profunda de tus estados de ánimo para que puedas hacerte cargo de tus sentimientos con facilidad.

La primera sección te ayudará a entender tus estados de ánimo, mostrándote cuáles son tus sentimientos y reacciones actuales.

La segunda sección te ayudará a rastrear, analizar y controlar tus emociones durante 21 días. ¿Por qué 21 días? Las investigaciones demuestran que se necesitan 21 días de repetición para desarrollar hábitos nuevos, en este caso, tus nuevos y mejores sentimientos y reacciones. Al completar esta sección, desarrollarás una poderosa habilidad para ser consciente de tus emociones y tomar acciones positivas para ti.

La tercera sección te ayudará a utilizar los cinco sencillos pasos presentados en el libro para dejar ir cualquier emoción no deseada.

Te mereces ser feliz contigo misma y disfrutar de relaciones felices y saludables con los demás.¡Hagámoslo realidad!

Ejemplos de preguntas del diario

Sección uno: Entender tus emociones
- Estas son las palabras que suelo utilizar para describir mis sentimientos no deseados:
- De estos sentimientos, lo que más me cuesta es dejar ir............. porque...
- Este tipo de situaciones suelen empujarme a ese estado de ánimo:

Sección dos: Rastreo de tus emociones
- Hoy, quiero enfocarme en sentirme:
- Mis 5 acciones principales para lograr el sentimiento que deseo son:
- Si me siento molesta, me recordaré a mí misma que debo dejarlo pasar con las siguientes palabras, frases o acciones:

Sección tres: Tomar el control de tus emociones
- ¿Cuáles eran mis expectativas?
- ¿Eran mis expectativas realistas para esta situación? sí o no
- ¿Cómo puedo cambiar mis expectativas para que sean más realistas para esta situación?

Ejemplos de páginas del diario

Disponible en septiembre de 2021

¿Quieres obtener el diario completo ahora? Envía un correo electrónico a author@JacquiLetran.com y pregunta cómo."

Libera tu CONFIANZA y aumenta tu AUTOESTIMA

¿Sientes a menudo que otras personas son mejores que tú? ¿Te parece que son más despreocupados, más extrovertidos y más seguros de sí mismos? Hacen amigos con facilidad y parece que siempre les ocurren cosas buenas. Son divertidos, ingeniosos y llenos de encanto. Donde quiera que vayan, la gente se siente atraída por ellos. Hacen lo que quieren y dicen lo que piensan.

Estos rasgos positivos y agradables parecen ser algo natural para ellos. Pero para ti, la vida está llena de ansiedad, miedo y dudas.

¿Cuál es su secreto? ¿Cómo pueden hablar con cualquier persona de cualquier cosa con facilidad, mientras que a ti te cuesta mucho estar en presencia de otros, y mucho más mantener una conversación?

Sueñas con ser diferente. Sueñas con sentirte cómoda en tu propia piel. Sueñas con crear relaciones significativas, ir a por lo que quieres con confianza y sentirte feliz y satisfecha con tu vida diaria. Pero el miedo y las dudas sobre ti misma pueden estar frenándote, haciendo que te sientas atrapada e impotente para cambiar tu situación. Te sientes triste, sola e insegura de ti misma y de tu vida.

¿Y si hubiera una forma de cambiar todo eso? ¿Y si pudieras destruir tu miedo y tus dudas y ser fuerte y segura de ti misma? ¿Cómo sería si pudieras enfrentarte a cualquier situación con entusiasmo, valor y confianza? Imagina cómo sería tu vida y lo que podrías conseguir.

Imagínalo…

Te contaré un pequeño secreto: Ese entusiasmo, valor y confianza que admiras en los demás son habilidades que puedes aprender.

Claro que hay algunas personas para las que estos rasgos son naturales; pero si no has nacido con ellos, puedes aprenderlos. El caso es que puedes aprender a cambiar tus pensamientos negativos, destruir tu miedo y tus dudas, e ir a por lo que quieras con confianza. Puedes aprender a sentirte cómoda en tu propia piel y estar completamente a gusto mientras te expresas.

Has nacido con unos poderes increíbles dentro de ti, poderes a los que me gusta referirme como Superpoderes Internos. Si los aprovechas, estos Superpoderes Internos te ayudarán a ser feliz, resistente y exitosa en la vida. El problema es que no has sido consciente de que existen, ni de cómo utilizarlos.

Puede que hayas visto un indicio de ellos aquí y allá, pero no has reconocido su poder ni has tenido fe en tus poderes. Si no sabes cuáles son tus Superpoderes Internos, ¿cómo puedes aprovecharlos de forma consistente y lograr los resultados que quieres y mereces?

En este libro, aprenderás:

- Los siete Superpoderes Internos que garantizan que vencerás tus miedos y dudas.
- Crear un fuerte sentido de autoestima y una confianza inquebrantable.
- Herramientas fáciles de usar para cambiar tus pensamientos negativos por pensamientos potenciadores.
- Cómo conectar y fortalecer tus Superpoderes Internos.
- Cómo aprovechar y liberar tus Superpoderes Internos siempre que lo desees.
- Cómo vivir con todo tu poder y ser feliz, confiada y exitosa en la vida, ¡y mucho más!

Tienes muchos Superpoderes Internos que te hacen maravillosa en todos los sentidos. En este libro, he elegido compartir siete ISP específicos porque estos siete son tu mejor apuesta para destruir el miedo y la duda sobre ti misma; y para crear una autoestima duradera y una confianza inquebrantable.

Hay mucho escrito sobre cada uno de estos Superpoderes Internos y cada uno de ellos puede ser un libro independiente. Sin embargo, sé que tu tiempo es valioso y que tienes otras responsabilidades y actividades que atender. Por lo tanto, verás que estos capítulos son breves y directos al punto.

Presentaré suficiente información para que entiendas tus Superpoderes Internos sin atascarte con demasiada información. Al leer este libro y completar las actividades dentro de cada sección, aprenderás a aprovechar estos Superpoderes Internos de manera constante, aprovecharlos y liberarlos cuando quieras. Podrás aprender a ir tras lo que quieres con confianza y crear esa vida feliz y exitosa con la que has estado soñando

Disponible en agosto de 2021
Resérvalo ahora
Amazon.com Amazon.es

Sobre el autor

Queridos lector:

Si eres una adolescente que lucha con mucho estrés, ansiedad, baja autoestima, inseguridad o síntomas depresivos, quiero que sepas que no estás sola. Lo sé porque yo misma he pasado por ello. Mi nombre es Jacqui Letran y tengo dieciséis años de experiencia ayudando a miles de jóvenes, ¡sé que puedo ayudarles!

Sé que estás frustrada, asustada y sola; yo también lo estuve. También sé que la confianza, el éxito y la felicidad se pueden lograr porque yo me he liberado satisfactoriamente de esas antiguas emociones y he abrazado mi vida con entusiasmo, confianza y gozo. Mi meta es ayudarte a comprender el poder de tu mente y mostrarte cómo puedes dominarla de manera que puedas superar tus problemas y adentrarte en la magnificencia de tu propio ser, justo como yo lo hice— y justo como otros miles de adolescentes lo han hecho al utilizar estas mismas técnicas.

Quién soy y por qué me importas…

Mi vida era bastante fácil y despreocupada hasta que llegué a mi adolescencia. ¡De la noche a la mañana, parecía que todas mis amigas se habían transformado de niñas a mujeres! Empezaron a usar maquillaje y a vestirse con ropas caras y sexys; coqueteaban con chicos, algunas incluso alardeaban del chico mayor con el que salían frente a mí. Yo, por el contrario, quedé atrapada en mi cuerpo de niña. Y bajo las reglas de mi madre súper estricta, el usar

117

maquillaje, ropa sexy o tener citas no eran opciones para mí.

Me sentía diferente y aislada—rápidamente perdí a todas mis amigas. No sabía qué decir o cómo comportarme con los demás. Me sentía rara y dejada atrás como si no perteneciera a ninguna parte. Simplemente ya no encajaba. Me volví más y más retraída y me preguntaba qué estaba mal conmigo. ¿Por qué no me había convertido en mujer como todas mis amigas? ¿Por qué la vida era tan difícil e injusta?

- **Culpé a mi mamá por mis problemas.** *Pensé: "Si mi mamá no fuera tan estricta, me permitiría tener citas y tener ropa bonita y sexy". Por lo menos encajaría entonces y todo sería perfecto.*

- **Me sentí muy enojada también.** *Mi vida había tomado un giro hacia lo peor—pero a nadie parecía importarle o aun notarlo. Empecé a faltar a la escuela, fumar y meterme en peleas. Caminaba con aires de superioridad y una actitud de "poco me importa".*

- **Me sentía invisible, sin importancia y sin valor.** *Muy en el fondo, yo solo quería ser aceptada como era. Quería encajar. Quería ser amada.*

Creí que mis deseos se habían cumplido cuanto tenía dieciséis. Conocí a un hombre que era cinco años mayor que yo. Él derramó su amor y cariño por mí y me hizo sentir como si fuera la persona más importante sobre la tierra. Seis meses después había dejado el colegio, estaba embarazada y vivía de ayuda social. Me sentí más aislada de lo que nunca antes me había sentido. A donde fuera, me sentía juzgada y menospreciada. Me sentía desolada y estaba segura de que mi vida se había acabado; no tenía futuro. Sabía que estaba destinada a vivir una vida miserable.

Me sentía verdaderamente sola en el mundo.

Excepto que no estaba sola; tenía un bebé creciendo dentro de mí. El día que di a luz a mi hijo y vi su rostro angelical supe que estaba en mí romper ese ciclo de pensamientos y acciones autodestructivas.

¡Allí fue cuando todo cambió!

Empecé a leer cada libro de autoayuda que pudiera conseguir. Estaba en una misión de descubrimiento personal y amor propio. Poco a poco me deshice de esas antiguas creencias que me impedían verme a mí misma como alguien capaz, inteligente y hermosa.

Entre más me alejaba de aquellas viejas creencias, más confiada me volvía y más capaz de lograr mis objetivos. Fue una lección poderosa sobre cómo el cambiar mis pensamientos cambió mi vida en realidad.

Seis años después, a la edad de veintitrés años, obtuve mi maestría en enfermería y me convertí en enfermera practicante. Desde entonces, he dedicado más de dieciséis años de mi vida trabajando en la salud de los adolescentes. Me sentí muy afortunada de poder usar mi don y pasión para ayudar a los adolescentes a crear una confianza irrefrenable y para capacitarlos para adentrarse en sus grandezas y hacerse cargo de sus futuros.

Al reflexionar sobre mis años de adolescente, me di cuenta de cómo jugué un papel importante al determinar mis experiencias de vida. Mi inseguridad me paralizó para tomar medidas, reforzando así mi creencia errónea de que era de alguna manera diferente o inferior.

Sabía que tenía que compartir este conocimiento para capacitar a otros adolescentes y así evitar un poco del dolor por el que yo personalmente pasé.

En mi carrera de más de veinte años de especialización en la salud adolescente, yo he:

- *Establecido, sido dueña y operado Teen Confidence Academy (Academia de Confianza Juvenil), especializada en ayudar a los adolescentes a superar el estrés, la ansiedad y síntomas depresivos sin medicación o terapias tradicionales a largo plazo,*
- *Establecido, sido dueña y operado múltiples localidades del "Teen Choice Medical Center",*
- *Llegado a ser oradora y autora de fama internacional,*
- *Educado ya apoyado a miles de adolescentes para superar el estrés, la ansiedad y síntomas depresivos,*
- *Criado a un joven amoroso, inteligente, y confiado (él es mi orgullo y alegría) y,*
- *Completado una formación de posgrado en métodos integrales y alternativos de salud y curación.*

Me apasiona profundamente el ayudar a los jóvenes a despojarse de sus barreras para que puedan ver la belleza y la grandeza dentro de sí mismos. Creo que todos merecemos una vida llena de salud, amor y felicidad. También creo que cada persona tiene dentro de sí todos los recursos necesarios para alcanzar una vida bella y plena.

En mi juventud, cuando pasaba por mis problemáticos años de adolescencia, necesité un lugar para ser orientada, donde pudiera aprender, reflexionar y crecer; un lugar donde pudiera sanar y tener una perspectiva adecuada y saludable de mí misma, así como del mundo a mi alrededor. No tuve esa opción en ese entonces, o por lo menos no supe dónde encontrarla.

Es por ello que inicié Teen Confidence Academy, y es por ello que ahora les escribo este libro.

¿Cómo puedo ayudarte?

¿Y si te digo que la llave para el éxito eres TÚ? ¿Qué todo lo que necesitas ya está dentro de ti?

El éxito comienza contigo, pero si no estás consciente de lo que te retiene, ¿cómo puedes seguir adelante? Y si no te dan técnicas sencillas y fáciles de emplear que te ayuden a descubrir qué es lo que te retiene, ¿cómo vas a superar tus problemas y a cambiar?

Miles y miles de adolescentes están viviendo en una desesperación silenciosa justo ahora y no les han mostrado la clave de su éxito. Mi objetivo al escribir este libro es enseñarte a comprender tu mente de manera que puedas controlar tus pensamientos, sentimientos y acciones. Eres mucho más poderosa de lo que crees. Al desatar el poder de tu mente, puedes estar a cargo de crear la vida que deseas y te mereces. Mereces ser exitosa y feliz en la vida.

¡Hagamos que eso suceda!

Jacqui Letran

www.JacquiLetran.com

Made in United States
Orlando, FL
09 March 2023